問いからはじめる
現代企業 [新版]

INTRODUCTION TO THE MODERN CORPORATION

著・小山嚴也
　　出見世信之
　　谷口勇仁

有斐閣ストゥディア

新版はしがき

　2018年12月の本書初版の発行から5年が経過しようとした頃から，この新版を発行する準備を始めました。企業経営にとって，5年という時間は，経営計画の目安となっているばかりか，とくに，この期間においては日本企業を取り巻く環境が大きく変化したからです。2019年末に始まった世界的パンデミック，2022年2月に起きたウクライナ紛争などの世界的な変化に加えて，国内では，東京証券取引所が2022年4月に市場区分を大幅に変更しました。長時間労働の見直しのために働き方改革関連法が成立し，2022年4月には，プラスチック資源循環促進法（プラスチックに係る資源循環の促進等に関する法律）が施行されました。

　2016年から始まった日本銀行のマイナス金利政策は，2024年3月に見直されました。2018年12月の為替相場は，1ドル＝112円でしたが，2024年4月には，一時1ドル＝160円の円安になりました。また，株価の動きを見ても，2018年12月の日経平均は，2万14円でしたが，2024年4月には3万8406円になっています。総務省が発表する消費者物価指数を見ると，2020年を100として，2024年4月には107.7に上昇しています。日本企業を取り巻く環境がこのように大きく変化する中で，新版を発行することになりました。以下に，各章のおもな変更を示します。

　第1章では，政府等が発行している白書等のデータを最新のものに更新しました。また，会社形態から見た企業の発展に関して，2018年以降に，かつて株式会社から合同会社に転換した会社が再び株式会社に転換する事例や，株式上場を廃止した複数の事例をEXERCISEやColumnを含めて加えています。第2章では，東京証券取引所が2022年4月に行った市場再編について，各市場の特徴を取り上げました。また，事例で取り上げた企業の株式所有状況について，データを更新しています。第3章では，「スチュワードシップ・コード」「コーポレート・ガバナンス・コード」の改訂について加筆し，コードに関係するデータを更新しました。また，会社法やコードへの対応の部分では，取り上げた企業のデータを最新のものにしています。

i

第**4**章では，図表やデータを最新のものに更新しました。第**5**章では，近年，採用活動（学生のみなさんにとっては就職活動）の早期化が進んでいることから，そうした点についての記述を加えました。第**6**章では，取り上げている事例の内容を最新のものに更新しました。第**7**章では，とくに戦略的提携の事例について，IT 企業がかかわるものを取り上げました。

　第**8**章では，扉ページのグラフを変更しました。第**9**章では，技術的環境の変化として AI を取り上げました．また，地域社会の関係として TSMC 進出の事例を取り上げました。第**10**章では，公益通報者保護法と不正競争防止法に関する説明を加えました。第**11**章は，データを最新のものに更新するとともに，新たに SDGs とグリーンウォッシュの節を加筆しました。最後に，補論では，データベースの情報を最新の内容に変更しています。

　新版の刊行に当たっても，有斐閣書籍編集第 2 部の長谷川絵里さん，得地道代さんには，事実確認やデータの更新などについて，読者の視点で確認いただき，大変お世話になりました。また，補論で取り上げたデータベースに関する情報の更新に際しては，関東学院大学図書館の立石文恵さんにお力添えをいただきました。ご協力いただいた方々に心より御礼申し上げます。

　新版についても，より多くの大学生のみなさんに手に取っていただき，企業を取り巻く環境が大きく変化する中，「企業」についての理解を深めていただけることを願っています。

　2024 年 6 月

著 者 一 同

はしがき

　企業は，私たちの生活のあらゆる場面で，大きな存在感を示しています。仕事はもちろんのこと，衣食住，移動手段，通信手段，テーマパークなどの余暇を楽しむためのサービスに至るまで，企業を抜きに私たちの生活を考えることはできません。

　本書は，私たちの生活に深くかかわっている「企業」について学ぼうとする大学生をおもな読者として書かれた1冊です。経営学部・商学部の学生はもとより，将来，企業に就職しようと考えているあらゆる学部の大学生に理解しておいてもらいたいことが記されています。

　近年，経営学分野のテキストは，組織論や戦略論が中心となっています。しかし，本書は「企業とは何か」を考える，企業論に位置づけられるものです。多くの企業は株式会社という制度のもとで設立され，組織によって運営されています。また，当然のことですが社会の中に存在しているがゆえに，社会や市民との関係も無視することはできません。ですから本書では，企業を，株式会社制度としての側面，組織としての側面，社会的存在としての側面という3つの観点から，総合的に捉えます。したがって，全体は大きく3部に分かれており，それに序章と補論が加わる構成となっています。

　序章では，3年目の社会人の日常生活とさまざまなデータから，読者のみなさんに，まずは企業のイメージを膨らませてもらいます。

　第1部は「制度としての企業」で，企業がどのような制度で営まれているのかを理解します。まず，さまざまな会社形態があることを確認したあと，最も重要な会社形態である株式会社を取り上げ，制度上の特徴やコーポレート・ガバナンスについて説明します。

　第2部は「組織としての企業」で，組織体としての企業の特徴や行動を理解します。具体的には，さまざまな組織構造が採用されていることを確認した上で，日本型企業組織の特徴について説明します。また，経営戦略の基本的要素である多角化戦略，競争戦略について説明するとともに，経営戦略の観点からM&Aと戦略的提携について取り上げます。

第3部は「社会の中の企業」で，企業と社会の関係，とくに企業活動の社会に対する影響について理解します。まず，この分野の重要なテーマである企業の社会的責任，およびステークホルダーについて説明します。そして，企業活動が社会に及ぼす負の影響をいかに減らしていくのかを考えるコンプライアンス活動と，企業活動が社会に及ぼす正の影響である企業の社会貢献活動について取り上げます。

　補論では，大学で学んでいる読者のみなさんが企業を理解するために有用な，新聞記事や雑誌記事などのデータベースについて紹介します。ほとんどの大学で，こうしたデータベースを利用できるようになっています。いわゆるアクティブ・ラーニングはグループワークのことのみを指す概念ではありません。興味・関心・疑問を持った事柄について能動的に学習することをいいます。みなさんが「もっと知りたい」「なぜなんだろう」と思ったとき，ぜひデータベースを大いに活用してください。

　私たち著者は，具体と抽象を行き来することを通じて，みなさんに企業を理解してもらいたいと考えています。したがって，本書に出てくる理論やモデルは，現実の企業活動をイメージしながら理解してほしいと思いますし，実際の企業活動を目にしたとき，本書で学んだ理論やモデルを当てはめ，その活動の意味を理解してほしいと思います。そのような考え方に基づき，本書には以下の7つの特徴が備わっています。

(1) 本書では，昨今，大きな関心を集めている企業の社会的責任（CSR）に関する内容を，第3部で大変詳細に説明しています。CSR は現代企業の特質を理解する上でとても重要なテーマです。みなさんはこれから企業で働くことになります。だからこそ「なぜ CSR が求められるのだろうか？」ということを念頭に置いて，学んでほしいと思うのです。

(2) 各章の冒頭に，その章を理解するための助けとなる QUESTION を設けています。「なぜだろう？」「どうなっているのだろう？」という問いを立てながら，本文を読み進めることで，読後の「なるほど感」が高まるはずです。また，章扉の絵や写真，図表は，問いをイメージしやすくするための役割を担っています。

(3) 各章に多くの新聞記事が引用されています。これは本文で取り上げている内容にかかわる具体的な企業活動について知ってもらうことを意図したものです。さらに，興味を持った企業活動については，みなさん自身でデータベースを活用しながら深掘りしてほしいと考えています。

(4) 脚注形式で glossary を掲載しています。ここでは企業に関する基礎的な用語を解説していますので，学修の場面だけでなく就職活動の際にも役に立つと思います。

(5) 各章に Column を挿入しています。重要な概念の詳細や実際の企業活動にかかわるトピックなどを取り上げ，解説しました。Column は本文の内容を補足する発展的な内容になっていますが，さらに深く学修したい場合は，各章末の**読書案内**に掲載している参考文献を読んでみるとよいでしょう。

(6) 各章末に EXERCISE を設けています。各問はその章のテーマに関する課題で，章の内容が理解できたかどうかを確認するためのものです。また，章の内容と現実の企業活動とを結び付けるためのものでもあります。積極的に活用してみてください。

(7) 各章末に DVD 資料を掲載しています。各章の内容に関連する映画などを選んでみました。学んだことをイメージしながら楽しんでもらえればと思います。

*

　本書は長年にわたり共同研究を重ねてきた 3 人によって書かれています。章ごとに執筆を分担してはいますが，原稿執筆後，編集部のみなさんを交えて，全員で徹底的に議論して，読者のみなさんにとってわかりやすく，使いやすい本をつくろうと加筆修正を重ねてきました。

　こうした執筆のプロセスで，多くの方々のお世話になりました。補論で取り上げたデータベースに関する情報については，関東学院大学図書館の職員のみなさんにお力添えをいただきました。また，本書を刊行することを勧めてくださった，有斐閣書籍編集第 2 部の長谷川絵里さん，得地道代さんには，上述し

た原稿の検討会も含めて，大変お世話になりました。常に読者の視点に立ち，本書の内容を充実させるための有益なアドバイスをくださいました。御礼申し上げます。

　より多くの大学生のみなさんが本書を手にとり，「企業」についての理解を深めてくださることを，願ってやみません。

　　　2018 年 10 月

著 者 一 同

＝ インフォメーション ＝

●**各章の構成**　　各章には，QUESTION，KEYWORD，glossary，Column，EXERCISE（練習問題），**読書案内**，**動画資料**が収録されています。学修にお役立てください。KEYWORD は重要な語句および基本的な用語を精選しており，本文中でも太字（ゴシック体）にして示しました。また，EXERCISE のヒントを，下記のウェブサポートページに掲載しています。

●**索　引**　　巻末に，事項索引，企業・製品名等索引，人名索引を用意しました。本文中には企業名や製品名・サービス名などが多く登場しますが，それらはほぼ索引項目として拾われています。眺めているだけでも楽しいでしょう。

●**ウェブサポートページ**　　各章末に収録されている EXERCISE のヒントや，ウェブ付録などを掲載しています。ぜひご覧ください。
　　　https://www.yuhikaku.co.jp/static/studia_ws/index.html

著者紹介

小山　嚴也（こやま　よしなり）　　序章（共著），第 4 〜 7 章，補論

1967 年生まれ，一橋大学大学院商学研究科博士後期課程単位修得退学，
　博士（商学）（明治大学）
現在，関東学院大学経営学部教授
主要著作
『企業社会と市民生活』（分担執筆）中央経済社，2010 年
『現代 CSR 経営要論』（分担執筆）創成社，2011 年
『CSR のマネジメント』白桃書房，2011 年

出見世　信之（でみせ　のぶゆき）　　序章（共著），第 1 〜 3 章

1963 年生まれ，明治大学大学院商学研究科商学専攻博士後期課程修了，
　博士（商学）（明治大学）
現在，明治大学商学部教授
主要著作
『企業統治問題の経営学的研究』文眞堂，1997 年
『企業倫理入門』同文舘出版，2004 年
『経営のルネサンス』（共編著）文眞堂，2017 年

谷　口　勇　仁（たにぐち　ゆうじん）　　第 8 〜 11 章

1967 年生まれ，名古屋大学大学院経済学研究科博士後期課程単位取得退学，
　博士（経済学）（名古屋大学）
現在，中京大学経営学部教授
主要著作
『現代経営学』（分担執筆）税務経理協会，2006 年
「企業事故研究の構図と課題」『組織科学』第 45 巻第 4 号，2012 年
『企業事故の発生メカニズム』白桃書房，2012 年

目　次

新版はしがき ——————————————————— i

は し が き ——————————————————— iii

著 者 紹 介 ——————————————————— vii

CHAPTER 0　「企業」を学ぶ　1

1　従業員としてかかわる企業 ··2

2　消費者としてかかわる企業 ··6

3　データで見る企業 ···9

4　「企業」を学ぶ ···11

第1部　制度としての企業

CHAPTER 1　個人企業と会社　17

1　企業とは何か ··18

2　私企業の分類 ··21

3　個 人 企 業 ··23

4　会 社 企 業 ··25

5　企業形態論からの整理 ··26

6　企業の発展——経営史的な視点 ··29

CHAPTER 2　株式会社制度　35

- 1　株式会社制度の特徴 ………………………………………… 36
- 2　株 式 制 度 ………………………………………………… 37
- 3　全社員有限責任制度 ………………………………………… 38
- 4　会社機関制度 ………………………………………………… 40
    株主総会（40）　取締役会（41）　業務執行担当役員（42）　代表取締役・監査役（43）
- 5　上 場 会 社 ………………………………………………… 45
- 6　財閥と企業集団 ……………………………………………… 47

CHAPTER 3　コーポレート・ガバナンス　53

- 1　コーポレート・ガバナンスとは何か ……………………… 54
    コーポレート・ガバナンスの意義（54）　コーポレート・ガバナンスへの関心の高まり（57）
- 2　コーポレート・ガバナンス改革 …………………………… 58
    一連の企業不祥事発覚による改革の始動――1990 年代（58）　法律面を中心とした改革――2000 年代（59）　2 つのコードの制定――2010 年以降（61）
- 3　個別企業の取り組み ………………………………………… 68
    一部の企業における取締役会改革――2003 年まで（68）　会社法やコードへの対応――2005 年以降（70）
- 4　改革の成果 …………………………………………………… 72

第2部 組織としての企業

CHAPTER 4 企業と組織構造　79

1 なぜ組織をつくるのか・・・・・・・・・・・・・・・・・・・・・・・・・・・・・・・・・・・80

2 分業と調整・・81

3 組織構造の実際(1)――職能制（機能別）組織・・・・・・・・・・・・・84

4 組織構造の実際(2)――事業部制組織・・・・・・・・・・・・・・・・・・・87

5 組織構造の実際(3)・・・・・・・・・・・・・・・・・・・・・・・・・・・・・・・・・・・・91
　　　――プロジェクト・チームとマトリクス組織

CHAPTER 5 日本型企業組織　97

1 日本的経営・・・98

2 採　　　用・・100

3 教育研修と人事異動・・・・・・・・・・・・・・・・・・・・・・・・・・・・・・・・・103

4 職能資格制度と役職，賃金・・・・・・・・・・・・・・・・・・・・・・・・・・・105

5 終身雇用の実態・・・・・・・・・・・・・・・・・・・・・・・・・・・・・・・・・・・・110

CHAPTER 6 企業と経営戦略　115

1 経営戦略とは・・・・・・・・・・・・・・・・・・・・・・・・・・・・・・・・・・・・・・116

2 企業戦略と企業ドメイン・・・・・・・・・・・・・・・・・・・・・・・・・・・・117

3 企業戦略としての多角化・・・・・・・・・・・・・・・・・・・・・・・・・・・120

4 多角化とPPM・・・・・・・・・・・・・・・・・・・・・・・・・・・・・・・・・・・・・123

5 事業領域における競争戦略 ・・・・・・・・・・・・・・・・・・・・・・・・・・・・・・・124

CHAPTER 7 M&A と戦略的提携 131

1 M&A とは何か ・・132

2 M&A の狙い ・・・135

3 戦略的提携とは ・・・・・・・・・・・・・・・・・・・・・・・・・・・・・・・・・・・・・・・136

4 なぜ戦略的提携なのか ・・・・・・・・・・・・・・・・・・・・・・・・・・・・・・・140

第 3 部 社会の中の企業

CHAPTER 8 企業の社会的責任 149

1 企業の社会的責任の背景 ・・・・・・・・・・・・・・・・・・・・・・・・・・・・150

社会的責任肯定論の主張（**152**）　社会的責任否定論の主張
（**153**）

2 権力・責任均衡の法則と企業の社会的責任の原則 ・・・・・・・155

3 企業の社会的責任の内容 ・・・・・・・・・・・・・・・・・・・・・・・・・・・・158

CHAPTER 9 企業環境とステークホルダー 163

1 企業環境とは ・・164

2 セプテンバー・アプローチ ・・・・・・・・・・・・・・・・・・・・・・・・・・・・165

3 ステークホルダー・アプローチ ・・・・・・・・・・・・・・・・・・・・・・167

株主（**168**）　消費者（**169**）　従業員（**171**）　地域社
会（**172**）

目　次　● xi

4 ステークホルダー・マネジメント ･･････････････････････････ 174

CHAPTER 10 企業倫理とコンプライアンス　　179

1 企業倫理とコンプライアンス ･････････････････････････････ 180

2 倫理的行動 ･･ 182

倫理的意思決定 (182)　倫理的行動の難しさ (184)

3 企業倫理制度 ･･･ 186

企業倫理制度の背景 (186)　企業倫理制度の内容 (188)

4 企業の倫理的問題 ･･･････････････････････････････････････ 190

アップル iPhone のロック解除論争 (191)　多国籍企業の
ダブル・スタンダード問題 (192)

CHAPTER 11 企業の社会貢献活動　　195

1 社会貢献活動 ･･･ 196

企業の社会貢献活動とは (196)　　社会貢献活動の歴史 (200)

2 戦略的社会貢献と CSV ･････････････････････････････････ 201

戦略的社会貢献 (201)　共通価値の創造 (CSV) (203)
CSV の第 1 のアプローチの例――住友化学のオリセットネッ
トの開発 (206)　CSV と社会貢献活動 (207)

3 SDGs とグリーンウォッシュ ･･････････････････････････ 207

SDGs (持続可能な開発目標) (207)　　グリーンウォッシュ
(209)　SDGs ウォッシュと ESG ウォッシュ (210)

xii

補論　データベースの活用　　213

1　新聞記事を調べる ……………………………………214

2　雑誌記事・論文を調べる ……………………………215

3　企業情報を調べる ……………………………………217

引用・参考文献 ——————————————————— 219

事　項　索　引 ——————————————————— 227

企業・製品名等索引 ——————————————— 233

人　名　索　引 ——————————————————— 236

glossary　用語解説一覧

01	三公社五現業	20
02	三井合名会社と三菱合資会社	25
03	経営の透明性	28
04	受託責任と説明責任	41
05	業務執行担当役員	42
06	監査役会	44
07	リーマン・ショック	56
08	相談役と顧問	66
09	プロフィット・センター	88
10	総合商社	90
11	終身雇用と年功制	98
12	ジャスト・イン・タイム （just in time）	98
13	カイゼン（改善）	98
14	レイオフ（layoff）	105
15	エントリーシート	113

16	経営資源	121
17	競争優位性	125
18	規模の経済	125
19	セグメント	126
20	TOB	135
21	OEM	138
22	形式知と暗黙知	141
23	トヨタ生産方式	142
24	外部不経済	155
25	フェアトレード（fair trade）	176
26	行為の倫理性の判断基準 （結果（帰結）主義，規範主義， 配慮主義）	183
27	経常利益	196
28	バリュー・チェーン	204
29	BOP	205

Column ● コラム一覧

❶ 会社用語の基礎知識 ・・・ 4
❷ 小売業を支える POS システム ・・ 8
❸ ソーシャル・ビジネス ・・ 21
❹ 法人の種類 ・・・ 23
❺ 第一生命の株式会社化 ・・ 26
❻ ウォルマートと西友 ・・ 31
❼ アップルの所有と経営の分離 ・・ 39
❽ ソニーの取締役会改革 ・・ 43
❾ 財閥解体と企業集団 ・・ 49
❿ アメリカのコーポレート・ガバナンス ・・・・・・・・・・・・・・・・・・・・・・・・・・・・・・・・・・ 56
⓫ 東芝の経営危機 ・・ 62
⓬ イギリスのコーポレート・ガバナンス ・・・・・・・・・・・・・・・・・・・・・・・・・・・・・・・・・ 65
⓭ マクドナルドの ENJOY! 60 秒サービス ・・・・・・・・・・・・・・・・・・・・・・・・・・・・・・・・ 83
⓮ クボタの KSAS ・・・ 92
⓯ カルビーの組織変革 ・・ 94
⓰ 大手食品メーカーの 2025 年 4 月入社の新卒採用募集内容 ・・・・・・・・・・・・・ 103
⓱ 総合職と一般職 ・・ 104
⓲ 商船三井さんふらわあの海陸一貫輸送サービス ・・・・・・・・・・・・・・・・・・・・・・ 119
⓳ 組織は戦略に従う ・・ 121
⓴ ビール業界のドライ戦争 ・・・ 128
㉑ アサヒグループホールディングスの海外展開 ・・・・・・・・・・・・・・・・・・・・・・・・ 137
㉒ トヨタ自動車と GM の提携 ・・ 142
㉓ 経済三団体 ・・ 151
㉔ 企業の寄付に関する日米の判例 ・・・・・・・・・・・・・・・・・・・・・・・・・・・・・・・・・・・・・ 160
㉕ ナイキのスウェットショップ問題 ・・・・・・・・・・・・・・・・・・・・・・・・・・・・・・・・・・・・ 172
㉖ 企業城下町 ・・ 174
㉗ 近江商人と三方よし ・・ 177
㉘ アッシュの実験とミルグラムの実験 ・・・・・・・・・・・・・・・・・・・・・・・・・・・・・・・・・ 185
㉙ エンロン，ワールドコム事件 ・・ 187
㉚ 震災に関連した社会貢献活動 ・・・・・・・・・・・・・・・・・・・・・・・・・・・・・・・・・・・・・・・ 198
㉛ ボルヴィックのコーズリレーテッド・マーケティング ・・・・・・・・・・・・・・・ 202

CHAPTER

序章

「企業」を学ぶ

> QUESTION
> 企業について学ぶ意味はどこにあるのだろうか？

　大学を卒業すると多くの人は企業に就職する。そして定年までのおよそ40年間，企業人としての生活を送ることになる。他方，私たちは日常生活の中で，消費者としても企業と密接なかかわりを持っている。本章では私たちの生活と企業とのかかわりを整理しつつ，企業について学ぶ意味を明らかにしていく。

1 従業員としてかかわる企業

　大学を卒業して企業で働くようになると，どのような生活が待っているのだろうか。近未来のみなさんの日常を見てみよう。

　社会人3年目の小山さんは，機械や部品に貼付するラベル印刷用プリンタの製造・販売を行う会社の本社で，営業職として働いている。おもに東京・神奈川の機械や精密機器を製造する会社への営業を担当している。小山さんに与えられた年間の売上目標は6000万円，単純計算すると月に500万円の売上達成が求められていることになる。ある日の小山さんのスケジュールは，以下のようなものであった。

7:00〜 8:00	通勤。iPhoneで『日本経済新聞』を読む。
8:00〜 8:15	会社に到着。その日やるべきことを業務用PC内の「To Doリスト」に記入する。
8:15〜 8:30	メールを確認し，50件のメールのうち，急ぎのものに返信する。
8:30〜 8:40	イントラネット（▶Column❶）で前日までの売上を確認する。
8:40〜 9:00	イントラネットで課内の他のメンバーからの業務報告を確認する。
9:00〜 9:10	朝礼で課長からの指示を受け，課員相互に今日の業務を確認する。
9:10〜10:00	アポイントメントをとってある1件目の取引先に向かう。
10:00〜11:00	1件目の取引先で製品の提案をし，次回，見積書の提出を依頼される。
11:00〜13:00	2件目の取引先への移動途中にタリーズコーヒーで昼食をとる。食事をしながら1件目の取引先から依頼された見積書をノートPCで作成する。タリーズコーヒーはカウンター席にコンセントがあってPCの充電ができるのでお気に入りである。
13:00〜14:00	2件目の取引先に消耗品を届けるとともに，先方の担当者と情報交換し，使用中の製品の改善点などを聞く。
14:00〜15:00	懇意にしている取引先から紹介された3件目の新規開拓先の会社へ移動する。
15:00〜16:00	新規開拓先の担当者から要望を聞き，自社製品についてカタログをもとに説明する。
16:00〜16:30	会社に戻る。

16:30〜17:00	直属の上司に業務報告し，3件目の新規開拓先に対する今後のアプローチについて相談する。
17:00〜17:30	1件目の取引先への見積書を作成し，上司の決裁（承認）を得る。
17:30〜18:00	外出中に届いたメールに返信をする。
18:00〜19:00	3件目の新規開拓先への提案書を上司や先輩のアドバイスをもらいながら作成する。
19:00〜20:00	仕事終了。会社から今年中にTOEICスコア600点をとることが求められているので，電車内で英語を勉強しつつ帰宅する。

　いかがだろうか。これが数年後のみなさんの1日である。朝早くから夜遅くまで，さまざまな仕事をしているのがわかる。

　東京近郊の実家からバスと電車を乗り継いで通勤する小山さんの通勤時間は1時間。東京都内に通勤する会社員の半数以上の通勤時間が1時間を超えるともいわれており，小山さんの通勤時間はとくに長いほうではない。電車内ではスマートフォンで『日本経済新聞』を読み，効率よく世の中の動きをつかんでいる。商談の席では「今朝の日経新聞の記事で……」といった会話がよく出てくるので，情報収集は不可欠である。

　始業時刻は9時だが，仕事のスタートが順調に切れるようその日のスケジュールを確認したり，イントラネットで自分以外の課員のスケジュールを把握したり，やるべきことが多いので1時間前に出社している。日本企業は職種にかかわらずチームで仕事をすることが多いので，自分の仕事の内容だけでなく，課内のさまざまな情報を共有しておくことが必要になる。上のケースでも小山さんは，新規開拓先への提案書を作成する際，上司だけでなく職場の先輩にもアドバイスを求めていた。こうした日本的な企業組織のあり方については，第**5**章で詳しく説明する。

　小山さんは営業職だが，学生読者のみなさんが一般にイメージする「営業」とは仕事の仕方が少し異なるのではないだろうか。どういった企業であれ，新規の客先を約束（アポイントメント）なしで訪問するという営業がなくはないが（▶Column❶），ほとんどの企業の営業職は，小山さんのように決まった取引先を定期的に訪問するという形で仕事をしている。そうした中で，新製品の紹介をしたり，取引先の業務上の課題を聞いて製品やサービスの提案をしたり，

Column ❶　会社用語の基礎知識

　会社に勤め始めたばかりのころは，先輩たちが使っている言葉の意味がわからず困惑することがある。また，業界や会社によっては特有の言葉遣いがあるケースも珍しくない。ここでは，比較的よく使われる会社用語を紹介しよう。

　イントラネット　　企業などの組織内でのみ構築されたネットワーク環境のことで，組織外部からは接続できない。組織内での情報共有・情報伝達など業務効率化のために用いられる。「イントラ」と略されることが多い。

　飛び込み営業　　新規顧客に対してアポイントメントをとらずに訪問し，営業を行うことで，「飛び込み」と略すこともある。相手の都合に合わせないので効率はよくない。

　したがって，多くの企業は，取引のある既存顧客を巡回する「ルート営業」を中心としている。新規開拓の場合も，既存顧客からの紹介や展示会の開催などといった形式がとられることが多い。

　稟議書（りんぎしょ）　　「稟議」とは，会社などで，承認を得たい事柄の内容について説明した書類を回覧して合意形成・意思決定をする仕組みのことをいう。回覧される書類が「稟議書」である。

　一般に，組織内の地位の低い者から順に高い者に向けて回覧される。たとえば，発信者から係長，課長を経て最終決裁者の部長に回覧されるというイメージである。当該部署だけでなく関連部署の承認が必要な場合は，それらの部署にも回覧される。

　予算必達（よさんひったつ）　　企業の現場では，各部門または個人が達成すべき売上（利益）目標のことを「予算」と呼ぶことが多い。この予算金額を必ず達成しなければならないことを「予算必達」という。

使用中の製品の使い勝手や問題点などの情報を収集したりする。つまり，営業職は取引先と自社との情報伝達の役割を担っているといえる。こうした営業活動の過程で収集された製品の不具合や課題などの情報が，開発部門に伝えられ，製品の改良や新製品開発に活用されることになる。

　取引先は製品やサービスに興味を持つと，見積書の作成を依頼してくる。見積書とは，取引先の希望に合わせた仕様の製品やサービスを納入する場合の金額を示したものである。しかし，営業担当者は通常，見積書を勝手に発行することはできない。金額や内容について上司の決裁（承認）を受けた上で取引先

に提示することになる。小山さんのケースでも，取引先の希望を聞きつつ見積書を作成し，上司の決裁を受けている。

上司の仕事は，見積書の決裁だけではない。上司は部下の業務内容や進捗状況を，直接の報告とイントラネット上の業務報告によって把握し，適宜，指示やアドバイスを行う。重要な取引先との商談や契約の最終段階など，ポイントになる局面では担当営業の部下に同行することもある。そして，取引先との契約も，上司の決裁のもとで行われる。一般的に契約は，その金額の大きさによって，決裁権限を持つ上司のレベルが異なる。直属の上司の決裁のみで進められる場合もあるが，多くはさらに上の上司，小山さんのケースであれば部長や本部長などに稟議書（◉Column❶）を回し決裁を得なければならない。

なお，このケースでは小山さんは残業して見積書や提案書を作成しているが，業務内容や業務量の適正な割り振りや就業時間管理も，上司の仕事である。

冒頭で示したように，小山さんには年間 6000 万円の売上目標が課せられている。小山さんは 3 年目なのでこの金額だが，この会社では 5 年目を過ぎると 1 億円以上の売上目標が課せられるようになる。売上目標金額は扱う製品やサービスによって異なり，業界によっては月の売上目標が小山さんの年間売上目標と同額などということもある。

売上目標の達成は必須である。なぜなら，これは株主との約束だからである。第 2 章で詳しく説明するが，株式会社の年間予算は株主総会で審議・承認される。そこで認められた予算に基づき，各部門に売上目標が割り振られ，部門の売上目標はさらに部門内の各人に割り当てられることになる。だからこそ，営業担当者には「予算必達」（◉Column❶）が求められるのである。しかしながら，こうした圧力が過度に働くと，不正が起きたり，長時間労働やサービス残業，過労死が引き起こされたりすることになる。次頁の記事は東芝の不正会計問題を取り上げたものである。実現困難な予算必達の強要が不正会計を引き起こしたとされる。そして，問題の発生から 2 年が経った時点でも，その影響が強く残っていることが報じられている。こうした企業不祥事については，第 3 章・第 10 章で詳しく扱う。

> **東芝危機 なぜ起きた 不適切会計で市場に不信感**
>
> 　2015年4月に発覚した不適切会計問題も東芝の経営をなお揺さぶっている。08年度から当時の社長が「チャレンジ」と呼ぶ，実現が難しい予算作成や予算必達を強制していた。08年度以降の決算で損失計上の先送りを繰り返し，利益修正額は総額2000億円超にのぼった。
>
> 　これにより西田厚聰氏，佐々木則夫氏，田中久雄氏の歴代3社長が引責辞任した。東芝は経営責任を明確にするため，15年11月に西田氏ら旧経営陣5人を提訴した。この問題で東芝に対し，機関投資家や銀行などから損害賠償請求訴訟が相次ぎ起きており，6月12日時点で請求額は1000億円を超えた。
>
> ────『日本経済新聞』2017年6月28日

　小山さんは営業職として3年目を迎え，ようやく独り立ちした段階にある。さらに2年程度，本社の営業職として働くと，そろそろ人事異動の対象となる。異動先は，本社の他製品の営業部門の場合もあるし，支社の営業部門の場合もある。あるいは，人事部門や総務部門，経理部門など，異なる部門に異動する可能性もある。異動先では，これまでの経験を活かしつつも新たな仕事について一から学び直すことになる。日本企業で働くビジネスパーソンは，このように複数の仕事を経験しながら，キャリアを積んでいく（▶第5章）。

　数年後，みなさんはこのような日常生活を送ることになる。そして，およそ40年間，従業員として企業とかかわっていくことになるのである。

 消費者としてかかわる企業

　みなさんは消費者としても企業とかかわって生活している。前出の小山さんのケースで見てみよう。

　小山さんは，毎朝，山崎製パンの「ロイヤルブレッド」を食べ，ライオンの「クリニカ」で歯を磨き，洋服の青山（青山商事）のスーツを着て家を出る。家から5分ほど歩き，神奈川中央交通のバスに乗り，JR東日本（東日本旅客鉄道）の戸塚駅まで出て，東海道線で東京駅まで通勤する。電車内ではアップル（Apple）のiPhoneで『日本経済新聞』を読む。iPhoneの通信キャリアはNTT

ドコモである。

　残業を終え，朝と逆ルートで家路に就く。最寄りのバス停を降りると，近くのセブン-イレブンに立ち寄る。残業で少し疲れたので，自分へのご褒美にアサヒビールの「スーパードライ」を1本とカルビーの「じゃがりこ」をPayPayによる決済で購入して帰宅する。シャワーで汗を流した後，夕食は好物のカレーライス。ハウス食品の「バーモントカレー中辛」が小山家の定番である。ビールとカレーを楽しみつつ，ソニーのテレビ「BRAVIA」で人気ドラマをチェックする。明日の朝も早いので，24時までには床に就く。

　起床から就寝まで，あらゆる場面でさまざまな企業の製品やサービスがかかわっていることがよくわかる。山崎製パン，JR東日本，アップル，ライオンなど，目につきやすい企業もたくさんあった。しかし，そもそも電車や工場は電気がなければ動かないのだから，電力を供給している東京電力の存在も忘れるわけにはいかない。そして，テレビのスイッチを入れれば無料で番組を見ることができるのは，CMを流しているスポンサー企業のおかげである。また，小山さんも帰宅途中に立ち寄っていたセブン-イレブンなどのコンビニエンス・ストアでは，24時間，欲しいものを簡単に手に入れることができるが，必要な商品を必要なだけ発注するための基盤となるPOSシステムを提供する東芝テックなどの企業，発注された商品を各店舗まで運んでくる運送会社がなければ，コンビニエンス・ストアという業態自体が成り立たない（Column❷）。

　このように，消費者の視点で見た場合，私たちの生活のほぼすべての領域に，企業が提供する商品やサービスがかかわっていることがわかる。生活自体が企業に依存しているといってもよい。

　また，企業が提供する商品やサービスは，文化や流行をつくり出すともいえる。たとえば，小山さんは通勤時間中にiPhoneでニュースを読んでいたが，電車内でスマートフォンをいじることは，今や老若男女問わず，ほとんどの人にとって当たり前の行為となった。スマートフォンが登場する以前は，電車内で新聞やマンガ雑誌を読む姿がよく見られたが，今では電車内でマンガ雑誌を読む人はほとんど見かけなくなった。つまり，スマートフォンという商品が，電車内での人々の行動にも影響を与えたといえるのである。

　あるいは，流行の最先端のファッションを身にまとうことを，アパレル・メ

Column ❷ 小売業を支える POS システム

　コンビニエンス・ストアやスーパーマーケットで買い物をすると，商品に記載されているバーコードをレジ係の人や自分がスキャナで読み取り，会計を行う。買ったものの合計金額を計算する行為であるが，そこで読み取られたデータは，売上管理や在庫管理，販売予測にも活用されている。この仕組みを POS（point of sales）システムと呼ぶ。

　POS システムでは，品名，数量，価格のみならず，購入者の年齢層，性別，当日の天気などもデータとして収集しており，「いつ，どこで，どのような人が，どの商品を，いくらで，いくつ買ったのか」がわかるようになっている。こうして収集されたデータが，仕入れや販売，開発の際の基礎として活用されるのである。とくに，コンビニエンス・ストアは売り場面積が小さいことから，欠品を起こさないためにも POS データの活用が不可欠となっている。

　以下の表は，日経 POS 情報サービスによる調査結果を示したものである。2024 年 1 月の全国主要スーパーにおけるスナック菓子売上上位 10 品を示している。この月はカルビーの「じゃがりこ　サラダ 57 g」が一番の売れ筋だったことがわかる。また，10 品目中 8 品目がカルビーの製品であることもわかる。1964 年に登場したカルビー「かっぱえびせん」も，2 位にランクインしている。

表　2024 年 1 月のスナック菓子売上ランキング　　　　　　（単位：円）

順位	商品名	1000人当たり金額	平均価格
1	カルビー　じゃがりこ　サラダ　57 g	413	110.8
2	カルビー　かっぱえびせん　77 g	284	101.1
3	カルビー　ポテトチップス　うすしお味　60 g	255	103.8
4	カルビー　ポテトチップス　うすしお味　ビッグバッグ　160 g	252	238.5
5	カルビー　じゃがりこ　サラダ　L サイズ　68 g	175	148.6
6	カルビー　ポテトチップス　コンソメパンチ　60 g	175	104.2
7	カルビー　ポテトチップス　コンソメパンチ　ビッグバッグ　160 g	170	240.7
8	カルビー　サッポロポテト　つぶつぶベジタブル　72 g	170	101.9
9	プリングルズ　サワークリーム＆オニオン　105 g	167	210.0
10	ヤマザキビスケット　チップスター　うすしお味　105 g	166	215.6

注）　「1000 人当たり金額」は，1000 人の顧客が訪れた場合に，その商品が金額でどれくらい購入されたかを算出した数字。1000 人当たり金額＝販売金額／来店客数× 1000。
出所）　日経 POS 情報サービスより作成。

ーカーがつくり出した「この春の流行」に乗せられている行為と見ることもできるかもしれない。さらに，POS システムのデータによる販売予測に基づいて「売れ筋」が店頭に並んでいることを考えれば，その服を購入したのは自分の意思ではなく，じつは企業側の意思であったと見ることもできる。

　こうしたことから，まだ企業で働いたことのない学生という立場であったとしても，消費者として企業について学んでおく意義は十分にあるといえるだろう。

３　データで見る企業

　みなさんが従業員・消費者としてかかわる企業。その活動の実態をイメージするために，データからも企業を見ておくことにしよう。

　まず，企業の全体像を見てみよう。**表序.1** は，日本の企業規模別企業数と従業員数を示したものである。日本には 400 万弱の企業があり，そこで 5000 万人近い人が働いていることがわかる。また，企業数で見ると大企業は全体の 1 ％にも満たないが，その 1 ％に満たない大企業でおよそ 30 ％の従業員を雇用していることがわかる。

　表序.2 は，日本企業の売上高トップ 10 を示したものである。1 位のトヨタ自動車の売上高はおよそ 37 兆円である。単純に比較することはできないが，日本の国家予算が 113 兆円，スウェーデンの国家予算がおよそ 40 兆円であることから，トヨタ自動車の売上高がいかに巨大なものであるかがわかるだろう。

CHART　表序.1　日本の企業規模別企業数と従業員数（2021 年）

	企業数		従業員数（人）	
大企業	10,364	0.3 %	14,384,830	30.3 %
中小企業	3,365,000	99.7 %	33,098,442	69.7 %
計	3,375,364	100 %	47,483,272	100 %

注）原データは千単位。大企業，中小企業の区別は，中小企業基本法の定義による。
出所）中小企業庁ウェブサイトより作成。

	日本企業売上高ランキング 表序.2 （2023年3月）	
		（単位：百万円）
順位	会社名	売上高
1	トヨタ自動車	37,154,298
2	三菱商事	21,571,973
3	本田技研工業	16,907,725
4	ENEOS	15,016,554
5	三井物産	14,306,402
6	伊藤忠商事	13,945,633
7	NTT（日本電信電話）	13,136,194
8	セブン＆アイ・ホールディングス	11,811,303
9	ソニーグループ	11,539,837
10	日本郵政	11,138,580

注）売上高は連結ベース。
出所）日本経済新聞社ウェブサイト。

	日本企業従業員数ランキング 表序.3 （2024年3月）	
		（単位：人）
順位	会社名	連結従業員数
1	トヨタ自動車	380,737
2	NTT（日本電信電話）	346,250
3	住友電気工業	288,663
4	日立製作所	262,193
5	パナソニック ホールディングス	230,025
6	日本郵政	229,038
7	本田技研工業	197,039
8	NTTデータグループ	195,150
9	ヤマトホールディングス	185,900
10	キヤノン	169,151

出所）Yahoo! ファイナンス。

　表序.3は日本企業の正規従業員数トップ10を示したものである。売上高と同様に，従業員数でもトヨタ自動車がおよそ38万人でトップに立っている。ちなみにこの数は長野県長野市の人口とほぼ同数である。

　売上高・従業員数を見ただけでも，トヨタ自動車は国家レベル・自治体レベルの規模を誇っているということがわかるであろう。したがって，トヨタ自動車の経営上の成否は，そのまま日本経済に多大なる影響を及ぼすことになる。マスコミでトヨタ自動車に関するニュースがしばしば取り上げられることの理由もここにある。

　就職活動をする学生の視点でも企業を見てみよう。表序.4は，2025年卒業見込み大学生・大学院生の就職人気企業ランキングを示したものである。文系・理系で人気のある業種が異なっていることがわかる。文系はサービス業の人気が高く，理系は製造業の人気が高い。とはいえ，どちらも知名度の高い大企業ばかりがランクインしている。また，ほとんどが一般消費者に対して製品やサービスを提供する企業であることから，学生にとって身近でイメージのよい大企業があげられていることがわかる。

10 ● CHAPTER 0 「企業」を学ぶ

CHART 表序.4 大学生・大学院生就職人気企業ランキング（2025年卒）

順位	文 系	理 系
1	伊藤忠商事	味の素
2	講談社	ソニーグループ
3	集英社	Sky
4	任天堂	アウトソーシングテクノロジー
5	アサヒ飲料	森永製菓
6	大日本印刷	三菱電機
7	KADOKAWA	キッコーマン
8	オリエンタルランド	アサヒ飲料
9	JTB グループ	任天堂
10	小学館	アイリスオーヤマ

出所）朝日学情ナビ 2025。

CHART 表序.5 採用予定人数ランキング（2025年卒）

（単位：人）

順位	企業名	採用予定人数
1	ソニーグループ	1,400
2	パナソニックグループ	1,000
3	三菱電機	800
3	富士通	800
5	ニトリグループ	775
6	東京海上日動火災保険	716
7	大和ハウス工業	709
8	富士ソフト	700
9	ALSOK	650
10	東 芝	610

出所）『就職四季報 総合版 2025-2026』東洋経済新報社。

　一方，表序.5 は，2025 年卒業見込み者の採用予定人数のランキングである。学生の就職人気企業が必ずしも採用予定人数の上位に入っているわけではないことがわかるだろう。このようなデータからも，学生が企業の実態を十分に把握することなく，表面的なイメージで企業を捉えている可能性があることがうかがえる。

4 「企業」を学ぶ

　多くのみなさんは，将来，企業で働くことになるであろう。そして，人生の半分の期間をそこでの生活に費やすことになるであろう。「企業」はどのような仕組みで成り立っているのだろうか。「企業」ではどのような仕事が待っているのだろうか。そもそも「企業」で働くということはどういうことなのだろうか。「企業」を学ぶということは，みなさんの未来について考えることでもある。

　今現在，みなさんは消費者として企業と関係を持っている。そして，消費者

としての生活はこの先一生続くことになる。「企業」はどのような仕組みで製品やサービスを提供しているのだろうか。「企業」はどういう意図を持って製品やサービスを提供しているのだろうか。「企業」を学ぶということは，みなさんの日々の生活を考えることでもある。

「企業」は国家や自治体に匹敵するような規模を持つ。大きなパワーを持っているといってよい。「企業」はそのようなパワーを適切に行使しているのだろうか。「企業」が失敗したとき，私たちにはどのような影響があるのだろうか。「企業」は社会に対してどのような貢献をするのだろうか。「企業」を学ぶということは，私たちの社会を考えることでもある。

本書は，これから，「企業」について学ぼうとする大学生をおもな読者として書かれたものである。したがって，本書は，中学校や高校の社会科の授業で取り上げられていたような，「企業は利潤を最大化することを目的とする」といった単純な見方を紹介するものではない。企業が私たちにとって身近な存在であることを前提として，さまざまな角度から企業を理解できるようにすることが，本書の目的である。みなさんが，将来の就職活動や，普段の生活の中で何かを購入する際に，社会の視点を含めたさまざまな角度から企業を評価し，そのときの自分にとってよりよい選択ができるようにすることが，目的なのである。

本書の第1部では，制度としての企業を取り上げる。まず第1章で，今日，大多数の企業が採用している会社制度を解説し，さまざまな企業形態があることを確認する。第2章で，企業形態の中でも，日本で最も普及している株式会社制度について，株式制度，有限責任，会社機関制度の観点から説明する。最後の第3章では，企業不祥事が発覚すると話題になるコーポレート・ガバナンスの問題を取り上げる。

第2部では，組織としての企業に焦点を当てる。第4章で，企業は，分業と調整のためにさまざまな組織構造を採用していることを確認する。第5章では，日本的経営のもとでの日本型企業組織が持つ，欧米の企業とは異なる特徴について確認する。その上で第6章において，「組織は戦略に従う」といわれることを踏まえ，経営戦略について，多角化や競争戦略を中心に取り上げる。最後に第7章で，経営戦略を実施する手段として用いられることのある，M&Aと

呼ばれる企業の合併・買収や戦略的提携について確認する。

第3部では，社会の中の企業について考える。第8章では，企業の社会的責任を取り上げる。そこで企業の責任についての対照的な見方を紹介する。次に第9章で，企業を取り巻く環境および企業とさまざまな関係を有するステークホルダーについて確認する。そして第10章で，企業不祥事の発覚に伴って社会的関心が高まる企業倫理と，法令などを遵守することを意味するコンプライアンスについて理解できるようにする。最後に第11章では，企業の社会貢献活動について，国際連合の取り組みも含めて紹介する。

本書は，各章で多くの事例やデータを示し，「企業」の実態がよりリアルに感じられるようにしてある。具体的な企業名が数多く出てくるので，日本を代表する企業を知ることにもつながるだろう。章末のEXERCISEでは，自ら「企業」について調べることが求められる。本書を読んで興味を持ったら，積極的に「企業」について調べてもらいたい。それは「企業」を知ることにつながるだけでなく，「企業」を知るためのスキルを身につけることにもつながるからである。

さあ，「企業」を学ぶことを通じて，みなさん自身の人生，そして，みなさんが生きている社会について考えてみることにしよう。

EXERCISE

① 今日，起床してから今までにかかわった企業を10社あげてみよう。

② 本文中で小山さんが起床から就寝までにかかわった企業としてあげられているのは，いずれも当該市場のトップ企業である。日本経済新聞社が発行している『日経業界地図』（日経テレコンにも収録），あるいは東洋経済新報社が発行している『会社四季報 業界地図』（東洋経済デジタルコンテンツ・ライブラリーにも収録）を用いて，興味のある業界の状況を調べてみよう。

第1部
制度としての企業

PART 1

CHAPTER
1 個人企業と会社
2 株式会社制度
3 コーポレート・ガバナンス
4
5
6
7
8
9
10
11

CHAPTER 第 1 章

個人企業と会社

QUESTION
なぜ，企業家は会社を設立するのだろうか？

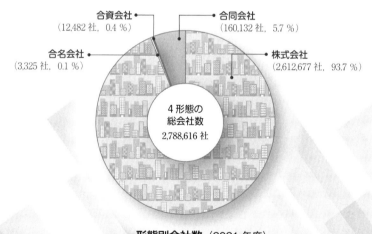

形態別会社数（2021 年度）

出所） 国税庁「令和 3 年度分 会社標本調査」より筆者作成。

　現代は，誰でも，その気にさえなれば，自分が所有する資金の範囲内で，インターネットなどを利用して，簡単に事業を始めることができる。事業が順調に成長すると，会社が設立される。なぜ，企業家は会社を設立するのだろうか。本章では，個人企業と会社企業について，取り上げる。

17

KEYWORD	私企業　協同組合企業　公企業　公私混合企業　ソーシ
	ャル・ビジネス　会社企業　個人事業主　無限責任　有限責任　合名
	会社　合資会社　合同会社　株式会社

1　企業とは何か

　序章で見たように，今日，企業は，私たちの生活にとって身近な存在であり，私たちはさまざまな形で企業とかかわっている。たとえば，コンビニエンス・ストアであれ，学習塾であれ，そこでアルバイトをしていれば，従業員として企業にかかわっている。アルバイト代が銀行振り込みであれば，銀行にもかかわっていることになる。銀行も，また，企業である。「学生ビジネス」という言葉があるように，学生の中には，自ら事業活動を始める者もいる。事業活動とは，製品またはサービスを商品として生産や販売などを行うことである。事業を始めた者は，企業家でもあるが，経営者でもある。さらには，ほとんどの人が，アマゾンであれ，ZOZOTOWN であれ，あるいはローソンであれ，生活に必要なものすべてを流通企業から購入している。企業から見れば，社会の中の大多数の人が顧客や消費者なのである。

　ここでいう「企業」とは，商品を生産・販売するなどの事業活動を行っている組織である。組織とは，複数の人々が協同して労働を行っているまとまりを意味する。そこでは，たとえば，原材料を，道具や機械，あるいはロボットを利用して加工することが行われている。

　じつは，企業には，さまざまな形態（種類）がある。その形態は，たとえば，企業を設立する事業の目的と，所有により，分類することができる。これらが，表1.1 に示されている。企業を設立するには誰かが資金を負担することが必要であるが，誰が資金を負担しているかにより，ここでの「所有」は分類されている。なお，事業活動にどれくらいの資金が要るかにより，企業の規模は異なってくる。グローバルに事業活動を展開している企業と，特定の町や村でのみ事業活動を行っている企業とでは，必要な資金の規模は異なるであろう。

18 ● CHAPTER 1　個人企業と会社

CHART 表1.1 所有と事業の目的による企業の分類

種　類	所有	事業の目的
私企業	私的	事業活動を通じて所有者に金銭的報酬を提供すること
協同組合企業	組合	事業活動を通じて組合員に貢献すること
公私混合企業	政府と民間	事業活動を通じて社会全体に貢献すること
公企業	政府	事業活動を通じて社会全体に貢献すること
ソーシャル・ビジネス	私的	社会問題の解決を目的とし，利益は活動の拡大・改善にのみ再投資される

出所）　筆者作成。

　また，企業といっただけで特定の個人や組織の利益を追求する組織体と考えられることが少なくないが，厳密には，事業活動を通じて私的な利益を追求する企業は**私企業**と呼ばれ，事業活動により地域等に貢献することを目的とする公企業とは区別される。私企業は，特定の個人や私的な組織により所有されている。社会全体ではなく，特定の個人や組織の利益を追求したり，それらに所有されたりしていることから，私的とされるのである。ただし，私企業は，その利益を最大化するために事業活動を行うとされることがよくあるが，現実において，その利益が最大かどうかは容易に測れるものではない。

　企業を設立して事業活動を行うための資金は，個人や組織が所有している場合もあれば，銀行などから借り入れる場合もある。そうした事業活動に使われる資金は，資本といわれ，それを金額で捉えたものが資本金である。資本のうち，銀行などから借り入れたものは他人資本，自ら所有していたものなどは自己資本といわれる。自己資本の提供者は出資者，他人資本の提供者は債権者と呼ばれる。資本により，土地・設備や原材料などが購入される。

　企業の所有と事業の目的から見ると，私企業以外にも，協同組合企業，公私混合企業，公企業がある（表1.1）。**協同組合企業**は，組合に所有され，事業活動を通じて組合員に貢献することを目的としている。具体的には，大学生協などの消費生活協同組合や，JAふらののような農業協同組合などがある。大学生協は，大学生活協同組合の略語で，組合員である大学生に割引価格で書籍を

1　企業とは何か　● 19

販売したり，食事を提供したりして，組合員に貢献している。それゆえ，大学生協では，組合費を納め，利用の際には組合員証の提示を求めることを原則としているのである。協同組合は，地域や職場などの一定の条件を満たし，組合費を負担すれば，誰でも組合員になることができ，生活協同組合コープこうべのように，組合員が172万人を超える生協もある。

私企業と対置される**公企業**は，政府により所有され，事業活動を通じて社会全体に貢献することを目的としている。1980年代に民営化が行われる以前，三公社[01]といわれた，日本国有鉄道（国鉄，現在のJRグループ），日本電信電話公社（現在のNTTグループ），日本専売公社（現在のJT）が典型例である。現在，三公社は民営化され，私企業または公私混合企業となっている。

公私混合企業は，政府と民間により所有され，事業活動を通じて社会全体に貢献することを目的としており，公私合同企業とも呼ばれる。そのなかに，特殊会社，第三セクターという形態もある。第**2**章で取り上げる株式会社制度を利用し，政府と民間に所有されている特殊会社には，日本の中央銀行である日本銀行や，中小企業への融資を目的とした商工組合中央金庫（商工中金）などがある。第三セクターは，地方自治体と民間により所有されるもので，日本国有鉄道時代に経営の赤字が続いていた路線の中にも，地域社会の利便性を確保するために第三セクターとして存続している，三陸鉄道やいすみ鉄道などがある。

所有および事業の目的による企業の分類に，ソーシャル・ビジネス（social business, **Column ❸**）を加えることもできる（表1.1）。2006年に，ムハマド・ユヌスがグラミン銀行の活動によりノーベル平和賞を受賞して以降，ソーシャル・ビジネスへの関心が世界的に高まった。ソーシャル・ビジネスは，私的に所有されるが，貧困等の社会問題の解決を目的とし，その利益は，私企業のよ

---

glossary

01　三公社五現業　1980年代に日本政府は，民間活力の導入を掲げ，当時，公企業であった，日本国有鉄道，日本電信電話公社，日本専売公社の「三公社」を民営化した。民営化は，郵便，林野，印刷，造幣，アルコール専売の五現業にも及び，郵便，アルコールは，日本郵政，日本アルコール産業として民営化され，国有林野事業は廃止された。印刷，造幣については，財務省から分離され，独立行政法人となったが，公企業の形を残している。こうした公企業は，完全民営化されて私企業になるまでの移行期に，公私混合企業になる場合がある。

Column ❸ ソーシャル・ビジネス

バングラデシュのムハマド・ユヌスは，1974 年に貧しい女性にグループをつくらせ，無担保の小口融資を始めた。この融資が，その後，マイクロファイナンスと呼ばれるようになり，グラミン銀行へと引き継がれていく。グラミン銀行は，現在，非営利企業を中心に営利企業も加えた 25 の企業などからなるグラミングループを形成している。グラミングループは，バングラデシュの人々，とくに貧しい人々の生活を改善することを目的とし，その目的を達成するために，ソーシャル・ビジネスを行っている。ソーシャルビジネス研究会の「報告書」（2008 年）によると，ソーシャル・ビジネスとは，解決が求められる社会的課題に取り組むことを事業活動のミッションとする社会性，ミッションをビジネスの形に表し，継続的に事業活動を進める事業性，新しい社会的な商品・サービスや，それを提供するための仕組みを開発したり活用したりする革新性という，3 要件を満たすものであるとされる。

うに出資者に分配されるのではなく，活動の拡大・改善にのみ再投資される。

　このように企業は，所有と事業の目的により，さまざまな形態に整理することができる。以下では，今日の社会において，数の面でも，規模の点でも，企業の中で代表的な形態となっている，私企業を中心に取り上げる。

② 私企業の分類

　私企業は，個人企業と会社企業に大別される。**会社企業**は，法人ともいわれる（ただし，後で説明するように，法人のなかには会社企業だけでなく非営利法人も含まれる）。法人と対になって使われる言葉が自然人である。自然人とは，生身の人間のことで，現代社会においては誰もが生まれながらにして権利と義務の主体になっているので，自然人と呼ばれるのである。それに対して，法人は，法律によって自然人と同じように権利を有し，義務を負うことができるように定められているもので，契約を結ぶこともできる。企業は，法人となることで，銀行に預金口座を開設したり，固定電話の設置を契約したりできるのである。

② 私企業の分類 ● 21

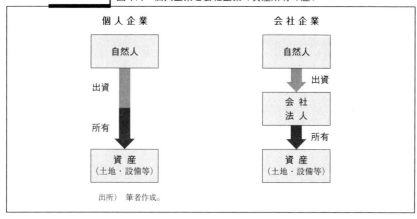

図1.1　個人企業と会社企業の資産所有の違い

出所）筆者作成。

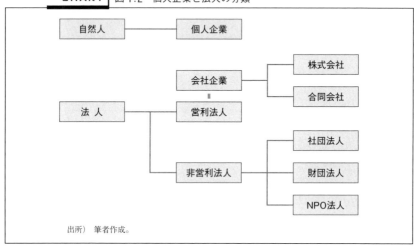

図1.2　個人企業と法人の分類

出所）筆者作成。

　こうした個人企業と会社企業について，資産所有のあり方の違いを示したものが図1.1である。個人企業の場合，1人の自然人が企業に出資し，企業の資産を所有するのに対し，会社企業の場合は，自然人が会社に出資を行うが，企業の資産を所有するのは，法人である会社である。それゆえ，出資者とはいえ，会社の資産を勝手に処分すれば，犯罪となる。

　個人企業と法人の分類を示したものが図1.2である。会社企業は，営利法人と呼ばれ，NPO法人（特定非営利活動法人）などの非営利法人とは区別される

> **Column ❹　法人の種類**
>
> 　法人は，その設立の目的から，利益の追求を認める営利法人と，認めない非営利法人がある。営利法人は，株式会社のように，法人として認められている会社企業がその代表であり，非営利法人には，社団法人，財団法人が含まれ，それぞれ法律によってその設立が認められている。社団法人は，日本経済団体連合会（経団連），日本フランチャイズ協会などのように，人々の集まりを基礎としている。また，財団法人は，日本ナショナルトラストや，日本地図センターなどのように財産を基礎とするものである。NPO 法人といわれることの多い，特定非営利活動法人は，学術・文化・芸術・スポーツの振興あるいは環境保全等の非営利の特定の目的を達成するために，1998 年に施行された特定非営利活動促進法に基づいて設立されたものである。

（**Column ❹**）。今日の会社法では，株式会社と合同会社の設立が認められている。日本においては，ソーシャル・ビジネスは，会社企業ではなく，NPO 法人となることが多い。

３　個人企業

　個人企業は，現在の日本では，**個人事業主**と呼ばれている。個人事業主が事業を行うにあたっては，町工場のように自ら生産手段を所有することが一般的であるが，中には生産手段を所有せずに製品の設計やデザイン等に特化する者もいる。インターネットを利用して簡単に見知らぬ多くの人に対して商品を販売し，資金さえもクラウドファンディングと呼ばれる方法で調達する個人事業主もいる。こうしたことからもわかるように，個人による開業は容易になっているのである。次の新聞記事には，開業にかかわる書類作成さえ容易になっていることが，記されている。

個人事業主の開業書類，手軽に作成　フリーが無料提供
　クラウド会計ソフトの freee（フリー，東京・品川，佐々木大輔社長）は個人事業

主の開業を応援するサービスを始める。必要な書類を同社のウェブサイトで手軽に作成できる。無料で提供し，今後1年間で2万件の開業を支援する。有料で提供する会計ソフトの利用者獲得につなげる。

――――『日本経済新聞』電子版 2016 年 10 月 9 日

『小規模企業白書 2019 年版』によると，2016 年時点の個人事業主の数は 198 万人余りであり，2014 年と比べて 11 万人余り減少している。個人事業主には，Uber Eats の配達員や，会社に雇用されていながら副業を行っている者も含まれる。2018 年 1 月に厚生労働省が「副業・兼業の促進に関するガイドライン」において副業禁止の規定を削除し，副業・兼業に関する規定を新設したことに伴い，以前よりも副業を行いやすくなっている。一方で，個人事業主は，どれだけの仕事を受注できるかという問題に加え，自身が高齢化し事業承継ができないと，廃業することになる。個人企業は，事業主が限られた命しか持たないゆえ，永続することは容易ではない。そこで永続性を可能にする仕組みが会社企業なのである。

　また，現在の日本社会においては，個人事業主が事業活動を通じて利益を上げた場合，確定申告を行い所得税・個人事業税などを納めることになるが，事業活動を通じた利益の金額によっては，個人事業主に課せられる所得税よりも，法人の払う法人税のほうが安くなることもある。たとえば，2017 年度においては，1 年間の所得が 695 万円以下であれば，所得税の税率は 20 ％であるのに対し，法人は 19 ％である。ただし，法人の設立は，手続きがあまり容易ではない。しかし，それについても現在では，下の新聞記事にあるように簡素化が進められている。

法人設立，ネットで一括　経産省，手続き簡素化へ

　経済産業省は日本のビジネス環境の改善策をまとめた。法人設立に必要な手続きを一括してオンラインで可能にする方針を打ち出し，関連法改正に向けて法務省と調整する。輸出入手続きの簡素化を話し合う官民の協議会を設置する。民事再生など裁判所の手続きの電子化も進める。先進国の中で競争力が低下しているのを踏まえ，環境改善を進めて起業や対日投資を呼び込みたい考えだ。

――――『日本経済新聞』電子版 2017 年 5 月 10 日

個人事業主は，登記所で法人設立の手続きをすれば，会社法に基づいて，株式会社などの会社企業を設立することができる。比較する年度が同じではないが，198万人の個人事業主に対して，会社企業は，本章扉頁の円グラフからもわかるように279万社と，多くなっている。

4 会社企業

日本においては，会社企業を規定する法律として1899年に商法が制定され，会社の設立が認められることになった。そこでは，合名会社，合資会社，株式会社の会社形態が認められ，戦前には，財閥の本社として三井合名会社や三菱合資会社が存在した。現在は，2005年に商法から独立させる形で制定された会社法によって，合名会社，合資会社，合同会社，株式会社が規定されている。1938年に制定された有限会社法は，2006年に法律としては廃止されたため，有限会社を新規に設立することはできなくなったが，今でも街中で「有限会社○○」といった看板が見られることからもわかるように，有限会社自体は存続している。有限会社は，株式会社と同様に全出資者に有限責任（▶第5節）を認めた一方，最低資本金が株式会社よりも少額であったために，おもに中小企業向けの会社として普及した。しかし，2006年の会社法制定で株式会社の最低資本金が大幅に緩和され，資本金が1円でも会社を設立できるようになったため，有限会社の有利性が失われてしまったのである。

また，相互会社は，1939年に制定され，1995年に全面改正された保険業法により，保険会社にのみ認められている会社形態である。相互会社における出

---

glossary

02 三井合名会社と三菱合資会社　三井合名会社は，1909年に設立され，日本初の持株会社といわれている。三井家の11名のみを出資者とし，その傘下に，株式会社の形態をとっていた三井銀行・三井物産・三井鉱山などを置き，財閥本社としての役割を果たした。その後，三井合名会社は，戦時経済のもと，傘下の三井物産に吸収合併される形で改組された。

三菱合資会社は，1893年に，鉱業・造船を中心に事業展開していた三菱社を改組して，設立された。三菱合資会社には，総務・鉱山・炭坑・造船・銀行・営業・地所の各部が置かれていた。1917年以降，これらの部が独立する形で三菱造船・三菱商事・三菱鉱業・三菱銀行などが設立され，1937年に三菱合資会社は株式会社三菱社に改組された。

4 会社企業 ● 25

> **Column ❺　第一生命の株式会社化**
>
> 　2010 年 4 月，第一生命は，相互会社から株式会社に転換し，東京証券取引所
> に上場した。その時点の保険契約者 738 万人が株式を受け取る権利を得たが，
> 実際に株主となったのは，137 万人であった。株主とならなかった保険契約者に
> は，出資に応じた現金が支給された。保険会社は，相互会社から株式会社に転
> 換することで，保険契約者以外からの出資も受け入れられるようになる。第一
> 生命は，2015 年にアメリカの生命保険会社プロテクティブを買収して以降，同
> 国の保険会社を次々と傘下に収め，事業を拡大している（『日本経済新聞』2010
> 年 1 月 13 日；2010 年 4 月 27 日；2015 年 10 月 1 日；2016 年 8 月 22 日，第一生命ホ
> ールディングス・ウェブサイト）。

資社員は保険契約者であり，相互会社は，保険契約者に利益が還元できる仕組
みとなっている。ただし，保険会社の間では，相互会社から株式会社への転換
も行われるようになっている（**Column ❺**）。

⑤　企業形態論からの整理

　経営学の一分野である企業形態論では，企業への出資を意味する所有（▶第
①節），企業の債務（金融機関等からの借り入れ）の返済に関する責任（liability），
経営者の性格，所有と経営との関係から，個人企業を含めた企業を分類し，**表
1.2** のように整理する。

　個人企業と会社企業との違いは，所有が単独か否かである。個人企業は，出
資者が単独であるのに対し，会社は，出資者が複数になりうる。「会社」を意
味する英語である "company" には「仲間」という意味もあることからもわか
る通り，複数の個人の存在が前提とされているのである。しかしながら，会社
企業であっても，所有が単独であることがある。政府の規制緩和政策によって
最低資本金制度が撤廃され，前述のように資本金が 1 円であっても株式会社を
設立することができるようになっているからである。

　個人企業や合名会社は，企業や会社の債務に対して，出資者である所有者が

CHART 表1.2 企業形態論による私企業の分類

種類	所有	責任	経営者	所有と経営
個人企業	単独	無限	所有者	一致
合名会社	複数	無限	所有者	一致
合資会社	複数	無限／有限	所有者／雇われた者	一致／分離
合同会社	複数	有限	所有者	一致
株式会社	複数	有限	雇われた者	分離

出所）筆者作成。

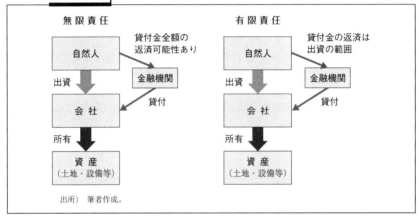

図1.3 無限責任と有限責任

出所）筆者作成。

無限責任を負う。**無限責任**とは，債務の返済額に限度がないということであり，企業や会社の債務に応じて返済する責任を負うことになる。これに対して，**有限責任**は，企業や会社の債務に対して，出資者はその出資の範囲で返済すればよいというものである。具体的には，会社が1億円の債務を抱えて倒産した場合，同じ100万円を出資した者であっても，有限責任の出資者であれば出資した100万円が戻ってこないだけで済むが，無限責任の出資者は1億円の債務について返済を求められることになる。これらの関係を示したものが図1.3である。

そうした会社債務への責任の関係から，個人企業や**合名会社**では，出資者である所有者が会社の経営を行うことが一般的である。出資者は，会社に事業活動に必要な資金を提供する者であり，出資者でもある経営者は，オーナー経営

者と呼ばれる。もちろん，所有者は，信頼できる者に経営を委ねることはできるが，無限責任を負うことから，所有者が経営を委ねられるのは，自らがすべての債務を負う覚悟のできる範囲に限られることになる。**合資会社**に関しては，有限責任の出資者にとっては，無限責任を負う出資者に経営を委ねていると見ることができるため，その観点からいうと，経営者は雇われた者であり，所有と経営は分離（▶**第2章**）している。**合同会社**は，有限責任ではあるものの，その規模があまり大きくないことから，所有者と経営者が一致していることが一般的である。**株式会社**は，第**2**章で見るように，全出資者に有限責任が認められているので，責任の観点から見ると，所有と経営の分離が可能であり，雇われた者が経営を担うことにもなりうる。

　章扉の円グラフにあるように，国税庁が2021年に公表した調査結果によると，合名会社は3325社，合資会社は1万2482社，合同会社は16万132社，株式会社は261万2677社となっている。以下の新聞記事からもわかるように，近年は合同会社の設立が急増している。これは，合同会社は取締役の選任も求められず，会社設立にかかわる費用が株式会社に比べて安いからである。

「合同会社」創設1年

　5月施行の新会社法で創設された合同会社（LLC）の利用が増えている。2月までの設立件数は，4000社を越え，最初の1年で約5000社に達した模様だ。法人格を持つうえ，経営の意思決定や利益配分などの自由度が高く，ベンチャーの利用が多い。ただ，監査人の設置義務がないなど，経営の透明性[03]の点で課題も残る。

――――――『日本経済新聞』2007年5月30日

---

glossary

03　経営の透明性　　透明性は，"transparency"の訳語で，外部の者からわかるかどうかの状態を意味する。今日，透明性は，企業のみならず，政府を含めた組織体すべてに求められるものとなっている。透明性がないと，組織が外部から見えないため，不正や腐敗行為が行われる可能性が高くなる。経営の透明性は，経営に関する意思決定や会計情報を適宜，正確に公表することにより高めることができる。

6 企業の発展　　　　　　　▶ 経営史的な視点

　「会社」という概念をはじめて日本に紹介したのは，1860年に遣米使節の一員としてアメリカに渡った小栗上野介であるといわれている。小栗は江戸幕府に商社の設立を主張し，横須賀製鉄所の建設にもかかわった。また，同じ遣米使節に参加した福澤諭吉は，1866年に『西洋事情』の中で，「カンパニー」として会社を紹介している。福澤の強い影響を受け，1869年に早矢仕有的が横浜に丸屋商社（現：丸善）を設立する。この丸屋商社が日本初の会社とされることもある。同じころ，澁澤栄一が，半官半民の形ではあったが複数の出資者を募って商法会所を静岡に設立し，1871年には会社の知識を普及させるために『立会略則』を公表している。そして1872年に，アメリカの国法銀行に倣って国立銀行条例が制定される。同法は，国立銀行の株主を有限責任とすることや株式の売買譲渡を認め，株主総会・取締役会の設置（●第 2 章）を求めた。1873年，澁澤は，国立銀行条例に基づいて，第一国立銀行を設立する。そのため，第一国立銀行は日本初の「完全な株式会社」といわれるのである。

　澁澤は，1878年には東京株式取引所・大阪株式取引所の設立にも関与，「合本主義」を提唱し，株式会社制度によって広く社会から資本を集め，王子製紙，サッポロビール，石川島造船所，帝国ホテル，日本鉄道，東京ガスなど，500余りの会社設立にかかわった。しかし，その一方で，同じ時代を生き，三菱財閥の祖でもある岩崎彌太郎は，株式会社の有限責任制は無責任経営をもたらすと批判し，会社の利益はまったく社長一身に帰し，会社の損失もまた社長の一身に帰すべきとした。

　1878年にドイツのヘルマン・ロエスレルが来日，商法草案作成が始まり，1890年に旧商法が制定され，合名会社・合資会社・株式会社の形態が認められることになった。ただし，帝国議会で商法典論争が起きたため，その施行は1893年になってからである。商法の施行を受け，三井は，三井銀行・三井物産・三井鉱山・三越呉服店を合名会社とし，三菱は，三菱社を三菱合資会社としている。この商法は1899年に改正され，一定の要件を充たせば会社の設立

を認める準則主義と，株主総会中心主義を採用した。1896年時点で，会社総数は4596社に達し，そのうちの2583社が株式会社ではあったものの，財閥など同族会社の占める割合が高かったといわれている。

　企業の発展と会社形態を見ると，三菱や三井など戦前の財閥もそうであったように，個人企業から株式会社へ転換するケースがほとんどである。さらには，これも戦前の財閥と同様に，第**2**章や第**7**章で詳細に取り上げる，持株会社（"holding company" や "holding corporation" の訳語 ●第**7**章）へと転換していく。たとえば，現在のパナソニック株式会社の前身は，松下幸之助が1918年に設立した松下電気器具製作所である。1935年に松下電器産業株式会社となり，個人企業から法人化した。パナソニック株式会社への社名変更は，創業から90年後の2008年のことである。また，現在のセイコーグループ株式会社の前身は，服部金太郎が1881年に設立した服部時計店であり，同社は1917年に株式会社服部時計店となり，法人化している。その後，1983年に株式会社服部セイコー，1997年にセイコー株式会社，2007年にセイコーホールディングス株式会社に社名を変更，2022年に現在の社名となった。

　このように，個人企業から株式会社への転換が多く見られる中，第**5**節で取り上げた合同会社の設立が認められたことで，株式会社から合同会社への転換も見られるようになってきた。たとえば，西友は，1956年に西武百貨店のスーパー部門として事業を開始し，1963年に株式会社西友ストアーとして設立された。同社は，その後，コンビニエンス・ストアのファミリーマートやオリジナル・ブランドの「無印良品」で成功を収め，1983年に株式会社西友となる。しかし，不動産やホテル事業での失敗などにより，2002年にウォルマートと包括提携するに至り，2005年にウォルマートが発行済み株式の過半数を取得，ウォルマートの子会社となった。

　ウォルマートは，さらに，完全子会社化を目指して2007年にTOB（株式公開買い付け ●第**7**章）を行い，西友の全株式の95.1％を取得して，翌2008年には東京証券取引所への上場を廃止した。そして，2009年に西友は合同会社に改組された。

　この事例のように，近年はこれまでの企業形態の変化とは異なり，株式会社から合同会社への転換が見られるようになっているのである。こうした転換は，

Column ❻　ウォルマートと西友

　ウォルマートは，傘下の西友を 2009 年に株式会社から合同会社に転換した。その目的として，合同会社では取締役会や株主総会の開催の必要がなくなり，迅速な意思決定ができることがあげられている。ウォルマートは，"EDLP"（Every Day Low Price；毎日低価格）を掲げるディスカウント・ストアである。そのため，西友は，"KY"（「価格安く」）を掲げ，自動商品発注システムやマルチタスクによる店舗従業員の運用などにより，他の国内大手スーパーに比べて，低価格を実現した。

　一方で，西友の親会社にあたるウォルマート・ジャパン・ホールディングスは，合同会社から株式会社に転換した。他社と同じ形態になることにより，M&A が容易になるとしている。しかし，ウォルマート・ジャパン・ホールディングスは，2016 年に 2 億 4900 万円の当期純損失を計上し，企業の利益を積み立てた金額である利益剰余金が 56 億 8000 万円のマイナスとなっていることから，ウォルマートが日本から撤退するために株式会社化したのではないかとの見方も出された。その後，楽天と西友は楽天西友ネットスーパーを設立し，2021 年には，ウォルマートは，アメリカの投資ファンド KKR と楽天へ西友の持分の大半を譲渡した（『日経 MJ』2009 年 6 月 3 日；2012 年 3 月 26 日；2015 年 10 月 20 日，『日本経済新聞』2015 年 9 月 30 日；2018 年 2 月 9 日；2021 年 4 月 6 日，『週刊東洋経済』2010 年 3 月 13 日号，『官報』2017 年 4 月 3 日）。

企業の経営者が自由に行えるものである。Column ❻で示すように，かつて西友の親会社であったウォルマート・ジャパン・ホールディングスは一方で，合同会社から株式会社へと転換した。さらに，ウォルマートが日本における事業を見直したことにより，2021 年にウォルマート・ジャパン・ホールディングス株式会社が株式会社西友ホールディングスに商号を変更し，2022 年には，西友も合同会社から株式会社に再び改組している。なお，西友のように上場を廃止して事業のあり方を見直す例として，2024 年 1 月には，大正製薬ホールディングスにおいて，2024 年 3 月には，ベネッセホールディングスにおいて，MBO（経営陣による買収）が成立し，東京証券取引所への上場を廃止した。どのような企業形態を選ぶかも，経営者の重要な意思決定の 1 つなのである。

　このように，合同会社の設立が認められ，その数が増加しているとはいえ，

🎵　企業の発展　● 31

日本において最も多い会社形態は株式会社である。章扉の円グラフにあるように，株式会社・合同会社・合資会社・合名会社の4形態の会社企業は，2021年時点で278万8616社にも達しているが，そのうちの93.7％にあたる261万2677社は株式会社である。ここからもわかる通り，株式会社制度を利用した会社企業が日本では一般的な会社形態である。そこで，次の第**2**章においては，株式会社制度について取り上げる。

EXERCISE

① 新聞記事データベース（日経テレコンなど）を用いて，合同会社が設立された事例を1つ見つけ，その会社の出資者と経営者を確認し，合同会社設立の目的を調べてみよう。

② 以下の**スノーピークの事例**を読み，なぜ個人企業から会社企業への転換が進むのかについて，経営の継承，事業の性質などを踏まえながら，考えてみよう。

・スノーピークの事例

　1958年，山井幸雄が金物問屋として，山井幸雄商店を創業し，自ら趣味としていた登山の用品を開発し，全国に販売を開始した。1963年には，「スノーピーク」を商標登録する。1964年，山井幸雄商店は，有限会社山井商店として，法人組織化し，アウトドア・レジャーのメーカーとして事業領域を拡大する。1971年に，株式会社ヤマコウへ組織変更。1986年，現社長で創業者の子の山井太が入社すると，アウトドアをライフスタイルと捉え，スノーピークをオートキャンピング・ブランドとしてリニューアルし始めた。1992年に，創業者で社長の山井幸雄が亡くなり，妻の山井トキが社長に就任。1996年には，山井太が代表取締役社長に就任し，株式会社スノーピークに社名を変更した。さらに，アメリカの拠点である子会社 Snow Peak U.S.A., Inc. をオレゴン州に設立している。スノーピークは，順調に事業を拡大し，2014年には東京証券取引所マザーズ市場に，2015年には東京証券取引所一部に上場した。2022年4月の東京証券取引所の市場再編にあたり，東京証券取引所プライム市場に上場したが，2024年4月には，MBO（経営陣による買収）が成立し，上場を廃止することが報道されている。

32 ● CHAPTER **1** 個人企業と会社

読書案内　　　　　　　　　　　　　　　　　　　Bookguide ●

小松章［2006］『企業形態論（第 3 版）』新世社。

　　本章で述べた会社の創業，企業形態，株式会社の設立などについて，日本
の会社の歴史を含め，わかりやすくまとめている教科書である。

宮本又郎・加護野忠男編［2016〜2018］PHP 経営叢書「日本の企業家シリ
　　ーズ」全 13 巻，PHP 研究所

　　澁澤栄一，松下幸之助，本田宗一郎などを各巻で取り上げている。日本の
企業家がどのように個人企業から株式会社に発展させたかを理解できる。

動 画 資 料　　　　　　　　　　　　　　　　　　Movieguide ●

デヴィッド・フィンチャー監督「ソーシャル・ネットワーク」（2010 年，
　　120 分）

　　大学生であったマーク・ザッカーバーグが SNS のフェイスブックを創設
し発展させるまでを描いた作品である。

「ビジュアル日本経営史　日本の企業家群像」（Ⅰ〜Ⅲ：各全 7 巻，丸善出版，
　　2000〜2010 年，各巻 30 分）

　　本シリーズでは，盛田昭夫，井深大などの日本の高度経済成長期の企業家
について，映像資料を用いながらわかりやすく紹介している。

動 画 資 料　●　33

CHAPTER

第2章

株式会社制度

QUESTION
なぜ，企業は株式会社制度を利用するのだろうか？

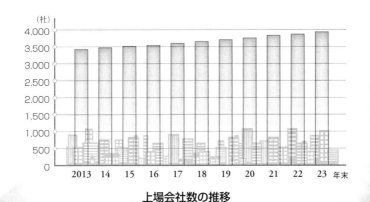

上場会社数の推移

出所）日本取引所グループ「上場会社数の推移」より筆者作成。

　今日，サントリー，トヨタ自動車，パナソニックなど，広く知られている日本の企業は，持株会社形態を含め，株式会社制度を利用している。企業は，なぜ，株式会社制度を利用するのだろうか。本章では，株式会社制度の特徴について取り上げる。

| KEYWORD | 株式 | 株式証券 | 会社機関 | 株主総会 | 取締役会 | 受 |
| 託責任 | 説明責任 | 監査役会 | 上場会社 | 企業結合 | 持株会社 | |

1 株式会社制度の特徴

　第1章で確認したように，株式会社は，複数の人々に所有され，全株主に有限責任が与えられ，会社に雇われた者が経営を行える会社である。日本のみならず，多くの先進国で，代表的な企業形態となっている。

　世界初の株式会社は，17世紀初頭に設立されたイギリスの東インド会社であるといわれる。東インド会社は，その名の示す通り，アジアとの貿易を営んだ会社であるが，株式を発行して多くの人々から多額の資金を集め，アジア貿易のための航海を行っていた。しかし，広く社会からお金を集める場合，詐欺的な行為にも利用されることがあったため，19世紀の初頭までは，株式会社の設立は，国王の勅許会社としてのみに制限されていた。

　今日でも，株式会社制度の特徴は，法律により規定される，株式制度（◉第2節），全社員有限責任制度（◉第3節），会社機関制度（◉第4節）を有することに求められる。この3つの制度それぞれのあり方は，国によって異なっており，たとえばイギリスとアメリカの間でも異なる部分がある。そうした違いは，その呼称について，イギリスの会社法では Co., Ltd.（company with limited）あるいは PLC（public limited company），アメリカの会社法では Inc.（Incorporated）で，同じ英語でも表記が異なる。さらに，EU（欧州連合）の定めた欧州会社法では SE（Societas Europaea）と表記される。

　本章では，日本の会社法のもとでの株式制度，全社員有限責任制度，会社機関制度の特徴を説明する。それらを踏まえて，株式会社制度によって企業が大規模化し，永続化することを，実際の事例も交えて確認しよう。

36 ● CHAPTER 2 株式会社制度

② 株式制度

　株式は，出資単位を極小・均一・細分化したものである。このことによって，創業者個人が提供する資金に加え，事業活動を行うための資本として少額の資金を広く社会から集められるようになり，企業の大規模化が可能になるのである。2001年に商法が改正されるまでは，額面株式制度のもとで，1株は5万円以上でなければならないと定められていたが，2006年に施行された現在の会社法によって，1株の価格設定が自由にできるようになり，したがって1株5万円よりも安く株式を発行することも可能となった。このことで，より少額の資金をより広く社会から集めることが志向されるようになったといえる。

　株式証券は，会社に出資したことを証明する書類であり，商取引で利用される手形や小切手と同じく有価証券である。「株券」と略されることもあるが，現在では電子化が進められ，必ずしも紙の書類が発行されているわけではない。この株式証券が，市場を通じて売買できることから，出資者はいつでも株券を売却することにより自分の出資したお金を回収することができる。つまり株式会社であれば，出資者は事業活動を行うために株券を購入する形で資本を提供したとしても，市場を通じて容易に自らの出資したお金を回収することができるのである。そのことにより，出資を行おうとする者は企業に対して事業活動のための資金を容易に提供でき，企業が規模を拡大することも容易になるわけである。

タンス株10兆円 争奪

　上場企業の株式が2009年1月から電子化されるのを視野に入れて，証券各社が個人投資家の手元にある「タンス株」の争奪にしのぎを削り始めた。株式電子化への移行後，現在の株券は無効になり，証券会社に口座を設けて証券保管振替機構に移管しておかなければ，売買はできなくなる。証券業界は個人の保有するタンス株は10兆─15兆円と推計しており，顧客の大量獲得につながる商機とみている。

―――――『日本経済新聞』2006年8月28日

　また，株券が市場で売買されることから，株券を購入しようとする者には，

譲渡利潤ともいわれる売買差額の獲得可能性が生じる。株券を購入したときの価格よりも高く売却することができれば，売買の差額分の金額を利益として獲得できる。そのため，株式市場では，株価が値上がりすることを目的にして株券の購入が行われ，いわゆる投機が発生することになる。

一方，出資を受けた企業にしてみれば，たとえ出資者が資金を回収したとしても，それは株式市場を通じて行われるので，直接的な影響を受けずに済み，企業は出資金を半永久的に固定できる。そのため，株式会社は，継続事業体（going concern）と呼ばれ，永続化することができるのである。

なお，株式証券は，「物的証券」「支配証券」「利潤証券」という性格を有している。「物的証券」というのは，それ自体が市場で価値を有し流通することを意味する。「支配証券」というのは，経営に参加する権利，すなわち株主総会での議決権（▶第4節）が与えられることを意味する。この性格ゆえに，TOB（株式公開買い付け ▶第7章）などで，株式証券の購入を通じて他社の買収が行われるのである。「利潤証券」というのは，配当などを請求する権利を与えられることである。

ただし，株式には，上述の議決権と配当請求権の両方を持つ普通株のほかに，どちらか一方が優先される優先株もある。たとえば，政府が経営危機に陥った金融機関に公的資金を投入したことがあるが，この際には配当請求権を優先した優先株が発行された。これは，一定期間経過後にも当該金融機関の経営が改善していない場合に，それらの優先株を普通株に転換することで，政府に議決権が提供され，政府が経営に参加できるようにすることが企図されていたものである。

3 全社員有限責任制度

全社員有限責任制度の「社員」とは，出資者のことであり，株式会社であれば，株主のことを指す。また，有限責任とは，企業のした借金の返済額が出資の範囲内に限定されることである。第1章で確認したように，株式会社は，全出資者に有限責任が認められているので，責任の観点から見ると所有と経営の

Column ❼　アップルの所有と経営の分離

　1975 年，スティーブ・ジョブズは友人とともに，自分たちが製造したパソコン Apple I の販売を始めた。2 年後には，アップルコンピュータを株式会社化して，Apple II を販売するようになる。同社は 1980 年に株式を公開，また，Apple II も順調に販売数を伸ばした。ところが翌 1981 年，大型コンピュータの分野で独占的な地位を得ていた IBM がアップルの成功に刺激され，パソコン市場に参入してきた。ジョブズは当初，そのパソコンをガラクタとしか評価していなかったものの，IBM は売上を伸ばしていく。そこでジョブズは IBM に対抗するため，1983 年に，ペプシコーラのジョン・スカリーをアップルコンピュータ社長に招聘した。アップルコンピュータにおける「所有と経営の分離」は，ここに始まったのである。

　そして 1984 年，アップルコンピュータは新型パソコンの Macintosh を販売するが，予測が外れて大量の在庫を抱えることになった。これが原因でジョブズはスカリーと対立し，1985 年の取締役会で，取締役会議長以外の職を解任される事態となる。これを受けてジョブズはスカリーに辞表を提出，アップルコンピュータの株式も 1 株を残して売却し，同社を離れた。こうしてアップルコンピュータの「所有と経営の分離」が実現した。

　なお，ジョブズはその後，ワークステーションなどを製造するために優秀な技術者を集めて NeXT の設立に参加するが，アップルコンピュータが NeXT を買収したことにより，再びアップルの経営にかかわり，iPhone や iPad を発表するが，2011 年 8 月に病気の悪化により CEO を辞任している（エリオット゠サイモン [2011]，竹内 [2012]）。

分離が可能であり，所有者ではない，会社に雇われた者が，会社のトップとして経営を担うことにもなりうる（Column ❼）。一方，前述のような株式証券の流通性に加え，こうした有限責任が認められていることから，出資者の中には，企業経営にかかわるためというよりも，自分の購入した株式証券をより高く売却することを目的として，株式証券を購入する者が現れる。しかし，企業から見れば，このことによって多くの出資を集めることが可能になり，大規模化につながる。

　株価が高くなるのは，よりよい経営が行われているからと思われがちである

3　全社員有限責任制度　● 39

が，株価に影響するのは，経営だけではない。外国為替や原材料価格の変動，政府の経済政策，国際条約の締結など，さまざまな要因がある。また，イギリスの経済学者ジョン・メイナード・ケインズは，『雇用・利子および貨幣の一般理論』において，株式投資を「美人投票」にたとえ，投資家は自分自身の好みで投資を行うのではなく，他の投資家の好みを予想して投資を行うと述べた。投資家は，必ずしも投資先の企業の経営には関心を持たなくなるのである。

このように，所有者である株主が会社の経営に必ずしも関心を持たなくなるため，株式会社においては，所有と経営が完全に分離する可能性がある。また，会社の規模が拡大すると管理の問題が生じるため，経営に関する専門的な知識や経験を有する者に経営を委ねる必要性も高まる。そのため，株式をいっさい所有していないが，経営に関する専門知識を有する者が，会社に雇われた被用経営者として，あたかも自分が会社を所有しているかのように会社を支配する，「経営者支配」が出現する可能性も生じるのである。

4 会社機関制度

株式会社では，上述の通り，所有と経営が完全に分離する可能性があるので，所有と経営を結びつけるために，会社機関制度が導入されている。株式会社の経営は，経営者個人ではなく，**会社機関**によって行われる。このことで，株式会社は個人の寿命に影響されない，永続性を獲得することになるのである。会社機関制度は，株主総会，取締役会，監査役会などにより構成される。

株主総会

株式会社において，所有は株式所有に基づくことから，所有を代表するのは**株主総会**である。株主である全出資者が，株主総会に出席することができる。株主総会では，議決権を伴う株式の所有に応じて，1株1議決権の多数決原則が採用されている。そのため株主総会の決定においては，少数の株しか所有しない多数の者より，多数の株を所有する少数の者が優先される事態が生じることもある。

株主総会は，法律でその設置が求められている機関であり，最低でも年1回は開催しなければならず，会社の重要な決まりである定款の変更や，会社の解散，取締役および監査役の任免などといった重要事項を決定する。したがって株主総会は会社の最高意思決定機関というべきものであるが，株式会社制度の成立当初より経営に関心を持たない株主が存在しており，実際には株主総会に出席するのは一部の株主に限られている。それに，たとえば，NTT（日本電信電話株式会社）には157万人を超える株主がいるが，1度に157万人を集められる会場もまた存在しない。現在では，株主総会についても電子化が進み，招集通知や議決権の行使にもインターネットの利用が認められるようになった。

取締役会

取締役会（board of directors）も，法律で設置が求められている会社機関であり，所有と経営を結合する役割を果たしている。そのおもな役割は，会社を方向づけ，統制することにある。

取締役会は，株主総会で選任される取締役により構成され，会社の基本方針を承認し，社長や常務など業務執行を担当する役員を選任する。取締役会が承認する会社の方針には，重要財産の処分，重要な組織の変更，内部統制システムの整備などが含まれ，これらは経営判断に属するものである。また，業務執行とは，会社の基本方針のもとで仕事を継続して行うことをいう。取締役会は，株主の財産を預かっている者として**受託責任**[04]（受託者責任）を負い，株主に対して事業活動の結果に関する**説明責任**[04]を負う。それゆえ，個々の取締役は，忠実義務と善管注意義務を負うことになる。前者は，法令や株主総会の議決を遵守し会社のために職務にあたることを意味し，後者は，良識ある管理者として注意を払って職務にあたることを意味する。

取締役会は業務執行担当役員[05]（以下，執行担当役員）を監督する役割も持って

glossary

04　受託責任と説明責任　　受託責任（stewardship）とは，他人から預かった財産を適切に運用する責任を意味する。株式会社であれば，株主から資産を預かった経営者が，その資産を用いて適切に企業を経営することである。

説明責任（accountability）とは，権限を委譲した者に対して，仕事を行った結果を説明する責任である。株式会社であれば，経営者は株主に対して説明責任を負うことになる。

4　会社機関制度　● 41

おり，執行担当役員から四半期に1度，業務執行状況の報告を受ける。また，「業務執行担当取締役」や「代表取締役社長」などの肩書きが示すように，取締役の地位にあっても業務執行を担当することができる。次の第3章で取り上げるが，会社機関制度などを通じて株主と経営者との関係が見直されたコーポレート・ガバナンス改革では，取締役会についても改革が行われた（Column❽）。その結果，今日では，取締役会に，業務執行あるいは会計書類等に対する監査を担う監査委員会や，取締役候補を指名する指名委員会，取締役および執行担当役員の報酬を決定する報酬委員会などを設置したり，社外出身で業務執行を担当しない社外取締役を選任したりするようになっている。

業務執行担当役員

　取締役会により選任される，業務執行を担当する役員（業務執行担当役員）が，いわゆる経営者である。株式会社の経営者は，取締役会により，創業者の一族であるか否かに関係なく，経営に関する専門知識や経験があるかなどで選任される。経営者は，その会社に常時，勤めていることから常勤役員であり，また，その会社の業務執行に専念することから専務役員である。業務執行担当者の肩書きとして，社長以外に，常務や専務などが用いられるのは，このためである。なお，最近は，CEOやCOOなどといった肩書きも用いられるが，前者は「最高経営責任者」，後者は「最高執行責任者」と訳されている。

　執行担当役員は，企業の全般・基本方針を作成し，その方針を実施する際の最高指揮を担い，部門管理者の任免も行う。日本では，「常務会」や「経営委員会」などを構成して，業務執行が行われることが少なくない。しかし，1990年代以降のコーポレート・ガバナンス改革によって，執行役員制が導入されたり（Column❽），会社法において執行役が定められたりした（▶第3章）。これらは，「取締役社長」や「専務取締役」などといった呼称が示すような，取締

glossary

05　業務執行担当役員　業務執行を担当する者であるが，法律で規定されている役職ではない。そのため，それぞれの企業が，社長，副社長，専務，常務，執行役員などの呼称を業務執行担当役員に対して使っている。企業活動のグローバル化が進展して，CEO（最高経営責任者），COO（最高執行責任者），CFO（最高財務責任者）などの呼称も用いられるようになっている。なお，取締役，執行役，監査役は，会社法で規定されたものである。

Column ❽　ソニーの取締役会改革

ソニーは，1970 年にニューヨーク証券取引所（NYSE）に上場した際，2 名の社外取締役を選任した。また，1976 年には CEO 制度を導入し，創業者でもある盛田昭夫を CEO に選任している。

そして 1997 年 5 月，ソニーは，それまで 38 名で構成していた取締役会を 10 名にすることを公表する。しかも，そのうち，新たに 2 名を加えた 3 名は，社外取締役とした。また，専務取締役以下 30 名が取締役を退任したが，そのうち 18 名は新しく導入された執行役員という職に就任し，新たに選任された執行役員 9 名と内部出身の取締役 7 名とともに，執行役員会を構成した。

さらに，1998 年には社外取締役を加えた指名委員会と報酬委員会を設置し，2000 年には取締役会議長を別途選任することとしている。2002 年に商法が改正されて委員会等設置会社が認められると，翌 2003 年には委員会等設置会社に移行，17 名の取締役のうち 8 名を社外取締役とした。

このように，ソニーは他社に先駆けて取締役会改革を推進した一方，業績が低迷する中で，2005 年には当の改革を推進してきた出井伸之会長と安藤国威社長が，社外取締役に促される形で辞任している。しかし，その後も社外取締役の割合を高める形で同社の取締役会改革は進められ，2024 年時点で，取締役会は 10 名，うち 8 名が社外取締役となっている（『日本経済新聞』1997 年 5 月 23 日；1998 年 5 月 7 日；2003 年 3 月 6 日；2005 年 3 月 7 日，ソニーグループ株式会社ウェブサイト）。

役と業務執行担当役員とが未分離な状況を改め，「監督と執行の分離」のために導入されたものである。改革前後の会社機関の変化を示したのが，図2.1 である。

代表取締役・監査役

代表取締役は，日本の会社法においては，株式会社を代表する権限である，代表権を有する取締役と規定されている。具体的には，対外的に会社を代表して契約を結ぶ者を指す。取締役会で選任されることになるが，代表とはいえ，1 名とは限らず，複数存在することもある。2017 年には，パナソニックが代表取締役を 11 名から 4 名に減らしたことが話題になった。

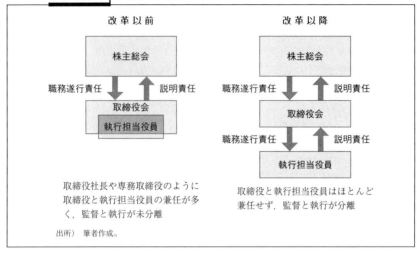

図2.1 会社機関の変化

 監査役は、取締役による業務執行の適法性について監査を行うもので、日本の会社法においては、取締役会に指名委員会を設置している指名委員会等設置会社や監査等委員会を設置している監査等委員会設置会社以外の株式会社に設置が求められる会社機関であり、株主総会で選任される。監査役は取締役ではないが、取締役会において意見を述べることができ、他の監査役の選任にあたっては、株主総会で意見を述べることもできる。そして業務と財産状況について調査でき、法令違反を発見した場合には取締役会に報告する。監査役は、また、決算期に会計書類について意見を表明するのみならず、期中にも粉飾決算がなされていないかなどについて会計監査を行うことができる。

 監査役会[06]は、5億円以上の資本または200億円以上の負債のある大会社に設置が求められているもので、3名以上の監査役により構成され、その半数以上は社外監査役でなければならない。次の新聞記事は、監査役会制度のもとで行

glossary

06 監査役会 日本では、指名委員会等設置会社や監査等委員会設置会社を除く大会社に、監査役会の設置が求められているが、ドイツの大会社には、監査役会と執行役会による二層制の取締役会制度が導入されている。これは、「監督と執行の分離」（●図2.1）の考えのもと、取締役会を監査役会と執行役会により構成するものである。同国においては、さらに、労働者の代表が資本家の代表と共同で意思決定を行うことを認める共同決定法のもとでは、監査役会議長は株主側から選任されるものの、監査役会の半数は労働者代表で占められることとなっている。

われている改革の状況を伝えている。

> **監査役が進化 独自に規律磨く**
> 　第一生命保険は4月，投資先の企業に対する議決権行使のプロセスが適正かの判定に監査役が関わる仕組みを強化した。重要な議決権行使案件について担当役員などから成る新設の「責任投資委員会」に諮問。そこにオブザーバーとして常勤の監査役2人が参加し，議論を監視する。

──────『日本経済新聞』2017年8月28日

⑤　上場会社

　上場会社あるいは上場企業とは，その株式を証券取引所で自由に売買できる会社のことである。株式を外部に公開しているという意味で，公開会社ともいわれる。株式を公開していない会社に比べ，社会から広く資本を調達するのが容易になることが，上場会社を大規模化する。

　日本には，株式証券を取引できる市場として，日本取引所グループ傘下の東京証券取引所のほかに，名古屋証券取引所，福岡証券取引所，札幌証券取引所がある。東京証券取引所は，2022年4月に市場を再編し，それまでの市場第1部，市場第2部，マザーズなどの区分を，プライム市場，スタンダード市場，グロース市場とした。プライム市場は，グローバルな投資家との建設的な対話を中心に据えた企業向けの市場で，審査基準が最も厳しく，800人以上の株主および2万株以上の流通株を有し，株式時価総額が100億円以上で，50億円以上の純資産を保有することなどと定められている。また，次章で詳述するが，プライム市場に上場する企業には，社外取締役を3分の2以上選任することなど，コーポレート・ガバナンス・コードの高いレベルでの全原則の適用が求められる。

　スタンダード市場は，株式市場における投資対象として十分な流動性とガバナンス水準を備えている企業向けの市場であり，400人以上の株主および2000株以上の流通株を有し，株式時価総額が10億円以上で，プラスの純資産を保有することなどと定められている。グロース市場は，高い成長可能性を有する

企業向けの市場であり，150人以上の株主および1000株以上の流通株を有し，株式時価総額が5億円以上であることが定められ，資産についてはとくに定められていない。

　また今日では，日本企業が海外の証券取引所に上場したり，海外企業が日本の証券取引所に上場することも可能になっている。そのため，証券取引所同士も激しく競争している。次の新聞記事は，証券取引所間の国際的な競争のために，東京証券取引所と大阪証券取引所が統合し，日本取引所グループが設立される直前の状況を紹介したものである。大阪証券取引所は，証券取引所として長い歴史があったが，統合後の現在は大阪取引所となり，デリバティブと呼ばれる金融派生商品の市場として存続している。

国際競争，再浮揚狙う　東証・大証が合併
　東証と大証の統合協議は現物株で圧倒的シェアを握る東証とデリバティブ（金融派生商品）に強い大証が一緒になり，負担の重いシステム費用などを効率化。投資家や上場企業の利便性を高めることで，世界の中で地盤沈下の進む日本の証券市場の競争力を回復させる狙いから始まった。

———『日本経済新聞』2011年11月7日

　ところで，社会から広く資本を調達できる上場会社は，株式会社制度を十分に活用しているといえるが，すべての株式会社が上場会社ではない。上場会社ではない株式会社には，成長過程にあって上場基準を満たせない企業も含まれるが，中には，サントリーホールディングス，JTB，JCBなどといった企業もある。こうした有名企業が上場しないのには，株式発行だけが唯一の資金調達手段ではなく，社債の発行や銀行からの借り入れも利用できるという理由もあるだろう。また，株式を公開すると，誰でも株主になれることにより会社の経営が影響を受ける可能性が生じたり，会社の情報を公開することが求められたりする。これらは，経営者にとって，株式公開を躊躇する理由ともなるのである。

財閥と企業集団

　これまでも説明してきたように，株式会社制度を活用することで，企業は，個人の制約を超えて社会から広く資本を集めることができ，大規模化する。ところが，そうなると大企業間の競争が激化することになり，企業の利潤は減少してしまう。そこで，競争を回避するために，企業間の協調や**企業結合**が行われることがある。実際，19世紀後半から20世紀初頭のアメリカにおいては，石油，たばこ業界などで独占が成立した。その結果，生産が調整されて価格が高騰するという社会的な弊害が問題となり，世界最初の独占禁止法といわれるシャーマン反トラスト法が制定され，独占企業の一部は分割された。

　戦前の日本においても，財閥は株式会社制度を利用して独占企業となった。図2.2（左）にあるように，財閥本社は，傘下の複数の会社の株式を所有し支配する**持株会社**（▶第7章）として存在していたのである。財閥本社には三井合名会社のように株式会社以外の形態をとるものもあったが，いずれにせよ多くの財閥において，財閥家族が財閥本社を所有し支配した。財閥家族ではなく大衆が株主となることを志向して，大衆持株会社を利用した日産コンツェルンなどは，例外的な存在であった。

　第二次世界大戦後，これらの財閥はGHQ（連合国軍最高司令官総司令部）の指令により解体され，財閥本社であった持株会社や財閥家族が所有していた株式などは政府に移され，三菱や三井などの財閥商号の使用も禁止された。しかしながら，日本の独立が回復した1950年代以降，財閥に属していた会社が集まって企業集団を形成している。企業集団内の企業はそれぞれの会社の株式を2割程度持ち合い，同じ企業集団に属する都市銀行が優先的に同一集団内の企業に融資し，同じ集団に属する総合商社が同一企業集団内の企業に対して優先的に取引するといったことも行われた。また，三菱の金曜会，三井の二木会，住友の白水会など，各企業集団に属する企業の社長が定期的に集まる社長会が開催された（**Column ❾**）。社長会は，表向きは万国博覧会などの協賛などについて議論しているとされたが，その議事内容は非公開となっている。図2.2には，

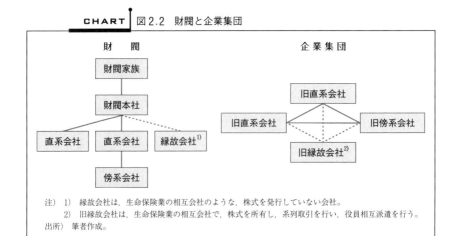

財閥と企業集団の違いを示してある。

　企業集団については，独占禁止法に基づいて設立された公正取引委員会の調査対象となり，定期的に調査が行われていたこともある。また，日本とアメリカの間の貿易不均衡を背景として1991年に行われた日米構造協議では，日本の企業集団と株式会社の閉鎖性が問題となった。株式持ち合いは，単に取引関係を強化するのみならず，企業集団外の企業による敵対的な買収の防止にもつながり，また，株式持ち合いを前提とした社長会を大株主会と見なすこともできたからである。なお，次章で詳述するコーポレート・ガバナンス・コードでは，株式持ち合いのような企業による株式保有形態を政策保有株式（政策株）として，その所有理由を明らかにすることを求めている。政策株とは，保有する目的が投資ではなく，取引関係の構築や維持である株式のことである。加えて，系列融資や系列取引が，取引面での閉鎖性を表すものとされた。しかも，第3章で改めて取り上げるが，当時の日本の大企業においては，社外取締役や社外監査役がほとんど選任されず，選任されていたとしても同一企業集団内の他企業の経営者であった。

　1980年代までは，このような企業集団が，三菱銀行，三井銀行，住友銀行，富士銀行，三和銀行，第一勧業銀行という大手の都市銀行を中心として，六大企業集団といわれた。しかし，1990年代初頭のバブル経済の崩壊やBIS（国際決済銀行）規制などを背景に，金融機関が再編された結果，企業集団の結集力

Column ❾　財閥解体と企業集団

　1945 年，GHQ は，財閥が軍国主義を支援したとして，その解体を指示した。これを受け，三菱，三井，住友，および，これらと並んで四大財閥の 1 つといわれた安田財閥も，持株会社の解散，安田一族の役員の辞任，所有株式の公開などを決定した。当時，三菱財閥の当主であった岩崎小彌太は，最後まで財閥解体に反対し，戦争への協力は三菱の「三綱領」の中にある「所期奉公」が表す「事業の究極の目的は国のため」という理念に従ったに過ぎないと主張した。しかし，1945 年 12 月には，その小彌太も没し，翌 1946 年には，持株会社や財閥家族が所有していた株式を整理するために，持株会社整理委員会令が出された。三菱や三井などの財閥商号の使用は禁止となり，三菱商事・三井物産は解体され，1947 年に過度経済力集中排除法が制定されると，三菱重工や三井鉱山などが分割された。

　財閥の商号は，サンフランシスコ講和条約発効後の 1952 年には再び利用が可能となる。ところが，この年に，旧三菱財閥の不動産管理会社の株式が買い占められた，陽和不動産事件が起こった。買い占められた株式は，すべて三菱財閥の傘下にあった企業により買い取られることになり，これが株式持ち合いの契機になったといわれる。また，1954 年には，三菱の社長会が始まっている。

　株式持ち合いは，1960 年代に入って資本の自由化により外国企業が日本企業を買収できるようになると，さらに進展した。高度経済成長が始まるころには，三菱銀行・三菱商事・三菱重工，三井銀行・三井物産・三井造船，住友銀行・住友商事・住友重機械といったように，各企業集団が同じように，都市銀行・総合商社・メーカーなどを傘下に収め，「系列ワンセット主義」などといわれた。そして，これら企業集団間の競争は「過当競争」と呼ばれるほど激しく，このことが高度経済成長にも影響したのである（奥村 [2000]，『日本経済新聞』1990 年 7 月 22 日；1983 年 9 月 2 日，『週刊ダイヤモンド』1952 年 3 月 15 日号；1954 年 12 月 3 日号，『週刊東洋経済』1948 年 9 月 18 日号；1958 年 11 月 5 日号；1976 年 10 月 23 日号，三菱グループ・ウェブサイト）。

は以前ほどではなくなってきている。表 2.1 で三菱商事・三菱重工・三菱電機の大株主をそれぞれ第 3 位まで見てみても，1991 年までは 3 社とも第 1 位が三菱系の金融機関であったものが，2001 年には，三菱商事こそ同じ三菱系の東京海上火災が依然として第 1 位であるものの，三菱重工・三菱電機について

CHART 表2.1 三菱系企業の大株主の変遷

位		三菱商事	三菱重工	三菱電機
1981 年	1	三菱銀行	三菱銀行	明治生命
	2	明治生命	明治生命	日本生命
	3	東京海上火災	東京海上火災	Lloyds Bank
1991 年	1	東京海上火災	三菱信託銀行	三菱信託銀行
	2	明治生命	三菱銀行	明治生命
	3	三菱信託銀行	明治生命	日本生命
2001 年	1	東京海上火災	日本トラスティ・サービス信託銀行	日本トラスティ・サービス信託銀行
	2	明治生命	東京三菱銀行	明治生命
	3	東京三菱銀行	明治生命	東京三菱銀行
2017 年	1	日本トラスティ・サービス信託銀行	日本トラスティ・サービス信託銀行	日本マスタートラスト信託銀行
	2	日本マスタートラスト信託銀行	日本マスタートラスト信託銀行	日本トラスティ・サービス信託銀行
	3	東京海上日動	野村信託銀行	State Street Bank and Trust
2022 年	1	日本マスタートラスト信託銀行	日本マスタートラスト信託銀行	日本マスタートラスト信託銀行
	2	Euroclear Bank	日本カストディ銀行	SSBTC CLIENT OMNIBUS ACCOUNT
	3	日本カストディ銀行	明治安田生命	日本カストディ銀行

出所）　各社の有価証券報告書を参照して，筆者作成。

は日本トラスティ・サービス信託銀行が第1位になっている。同行は，大和銀行（現：りそな銀行）と住友信託銀行（現：三井住友信託銀行）の共同出資によって2000年に設立された銀行で，年金信託や証券投資信託にかかわる有価証券等の管理などに特化している。2017年には，三菱商事においても，この日本トラスティ・サービス信託銀行が第1位の株主となった。また，三菱重工・三菱電機においては，上位3位の株主がすべて，三菱系の企業ではなくなり，おもに資産管理を行う金融機関となっている。

　2022年時点では，三菱商事，三菱重工，三菱電機とも，日本マスタートラスト信託銀行が第1位の株主となっている。日本マスタートラスト信託銀行は，三菱UFJ信託銀行，日本生命などが出資して年金信託や証券投資信託にかか

わる有価証券等の管理などに特化した銀行である。また，日本トラスティ・サービス信託銀行は，2018年に資産管理サービス信託銀行と経営統合し，現在は，日本カストディ銀行となっている。

　これら以外にも，1970年に三菱重工から分離・独立して設立された三菱自動車工業は，2000年・2003年に相次いで発覚したリコール隠しや，ダイムラー・クライスラーとの資本・業務提携解消などによって生じた経営危機の際には，三菱重工・三菱商事・東京三菱銀行（現：三菱UFJ銀行）の増資によりこれを乗り切ったが，2016年に燃費データの不正が発覚して経営に影響を受けたときは，日産自動車からの増資を受け入れ，フランスの自動車会社ルノーを中心とするグループに入ることとなった。これも，2016年の三菱自動車工業の危機に対して，三菱企業集団に属する企業がとった対応の結果なのである。以前は六大企業集団の中で最も結束力があると評価されていた三菱企業集団でさえ，その力が弱体化していることがわかる。

　株式会社制度は，資本調達ばかりでなく合併や持株会社の利用によって企業を大規模化させ，創業者個人の寿命を超えて企業を存続させることを可能にする。しかしながら，それらは，株式会社制度を導入するだけで保障されるものではない。また，企業が大規模化・永続化すると，株主のみならず，従業員，顧客，取引先，地域住民など，多様なステークホルダーに大きな影響を与えることになる。だからこそ，次章で取り上げるコーポレート・ガバナンスが問題となるのである。

EXERCISE

① 新聞記事データベース（日経テレコンなど）を用いて，株式を東京証券取引所に上場した企業を1つ見つけ，その企業の創業から株式上場までを確認し，株式上場の目的を整理してみよう。

② 以下の**ダイエーの事例**を読み，持株会社としてダイエーホールディングコーポレーションが設立された目的について，考えてみよう。

・**ダイエーの事例**
　1997年10月，ダイエーは，8月の中間決算において経常利益が前年比

EXERCISE ● 51

51％減の30億円になったことと合わせて，12月に独占禁止法が改正され持株会社が解禁されれば，ただちに設立申請ができるよう準備をしていることを公表した。中間期の経常利益が30億円であったとはいえ，同期は売上高が1兆2528億円でありながら，営業利益は90億円にとどまっており，子会社の特別損失を不動産売却による特別利益で相殺するような状況で，グループ全体では2兆6000億円余りの負債を抱えていたのである。当時のダイエー・グループは傘下にコンビニエンス・ストアのローソンも擁していたが，同社は有力企業でありながら，グループ企業の株式を多く所有していたことで，本業の利益が子会社の事業の影響を受けていた。1997年12月，ダイエーは持株会社としてダイエーホールディングコーポレーションを設立することを公表し，同社は，ローソン，福岡ドームなどを運営していたツインドームシティ，外食の神戸らんぷ亭，ファストフードのウェンコジャパンなどの株式を所有することになった。ダイエーホールディングコーポレーションには，ローソンの所有していた株式も移管された。

読書案内 | **Bookguide ●**

伊丹敬之・藤本隆宏・岡崎哲二・伊藤秀史・沼上幹編［2005］『リーディングス　日本の企業システム　第Ⅱ期　第2巻——企業とガバナンス』有斐閣。
　　本章で述べた株式会社について，その本質がまとめられるとともに，会社法の観点や経済学の視点を加えながら，日本企業の特徴がわかりやすくまとめられている。

動画資料 | **Movieguide ●**

原田眞人監督「金融腐蝕列島　呪縛」（1999年，115分）
　　金融スキャンダルや総会屋への利益供与事件の対応に揺れる銀行を舞台に，当時の銀行の体質を変えようとする姿が描かれている。

ダニー・ボイル監督「スティーブ・ジョブズ」（2015年，122分）
　　アップルの創業者であるスティーブ・ジョブズの伝記を映画化した作品。最初のパーソナル・コンピュータを発売したところからiMac発売までが取り上げられている。

CHAPTER

第 3 章

コーポレート・ガバナンス

QUESTION
なぜ,企業不祥事や経営破綻が起きると,コーポレート・ガバナンスが問題とされるのだろうか？

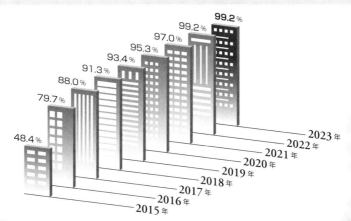

2名以上の独立社外取締役を選任する上場会社（プライム市場）の比率推移

注）2021年までは東証1部上場会社のデータ。
出所）日本取引所グループの調査結果より筆者作成。

　東芝やオリンパスの不正会計事件，日野自動車やダイハツ工業の認証不正など，企業による不祥事が後を絶たない。企業不祥事が発覚すると，コーポレート・ガバナンスのあり方が問題とされる。本章では，コーポレート・ガバナンスについて取り上げる。

```
KEYWORD    コーポレート・ガバナンス    社外取締役    ESG 投資    独
立社外取締役    監査委員会    内部統制    最善慣行コード    公的規制
自主規制
```

1 コーポレート・ガバナンスとは何か

コーポレート・ガバナンスの意義

　株式会社は，第1章で確認したように，日本の代表的な企業形態であり，また，3900社余りが株式を公開し，上場会社（▶第2章）となっている。株式会社は，株式証券を発行して，広く社会から多くのお金を集めることができるが，それだけに，企業情報を意図的に歪めるなどして投資家に投資をさせれば，金融商品取引法違反で罰せられることとなる。会社が株式を証券取引所に公開すると，有価証券報告書の提出を求められるようになるが，もし，この有価証券報告書に虚偽の記載をすれば，10年以下の懲役や7億円以下の罰金が科せられる。こうした法律は，それによって投資家を保護する目的に加え，株式を証券取引所に公開した上場会社は，その規模が大きく，破綻した場合の社会的な影響も大きいことから，厳しく定められているのである。

　上場会社の統治にかかわるのが，**コーポレート・ガバナンス**である。図3.1に，会社のガバナンスとマネジメントとの関係を示した。ここでのマネジメントは管理を意味し，経営を担うトップ・マネジメント，部門管理などを意味するミドル・マネジメント，現場の管理であるロワー・マネジメントからなる。一方，「統治」とも表記されるガバナンスは，株式会社においては株主と経営者との関係，とりわけ株主総会・取締役会という会社機関（▶第2章）とかかわるものである。上場会社の場合，株主総会を構成する株主には，誰もが容易になることができ，またその数も，上場基準を満たす必要から少なくとも200人を超える。そして，取締役会が，会社を方向づけ，決めた方向に従って経営が行われているかを統制する機能を担う。

54 ● CHAPTER 3 コーポレート・ガバナンス

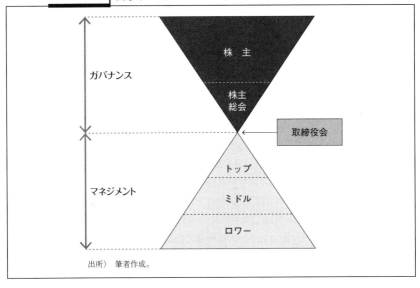

図3.1 ガバナンスとマネジメント

出所）筆者作成。

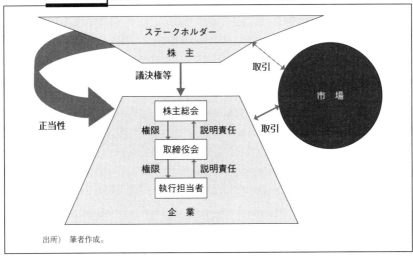

図3.2 コーポレート・ガバナンスの定義

出所）筆者作成。

　このようにコーポレート・ガバナンスは会社の方向づけとかかわるため，広く捉えれば，企業とステークホルダー（●第 **9** 章）との関係と見ることもできる。日本における，こうした関係を示したのが，図3.2である。これらの関係は，会社法などの法律によって規定されるので，他国のコーポレート・ガバナ

1　コーポレート・ガバナンスとは何か　● 55

Column ⑩　アメリカのコーポレート・ガバナンス

　アメリカの会社機関には，監査役会や監査役がない。法律で規定されている会社機関は，株主総会・取締役会のみである。そのため，取締役会に監査委員会などの委員会を設置したり，社外取締役を導入したりする形で，取締役会の統制機能を高めようとしている。ちなみに，CEOと表記される，「最高経営責任者」や「社長」といった経営者の地位も，法律では規定されていない。なお同国では，会社に関する法律は州ごとに定められている。

　しかし2001年に，エンロンやワールドコムといった，社外取締役が取締役会の多数派を占め，監査委員会等を設置していた会社が経営破綻した（▶第10章 Column ㉙）。これを受けてアメリカ政府は2002年に企業改革法（サーベンス＝オクスリー法）を制定，企業会計や財務諸表の信頼性を向上させるために，年次報告書の開示が適正である旨の宣誓書の提出を経営者に義務づけ，上場会社には財務報告にかかわる内部統制の有効性を評価した内部統制報告書の作成を求めるようになった。

　さらに，リーマン・ショック[07]後の2010年には，SEC（証券取引委員会）が経営者報酬とコーポレート・ガバナンスに関する情報開示規則を公表，取締役会議長とCEOの分離の有無や取締役候補者の経歴の開示などを求めた。ニューヨーク証券取引所も2009年に，独立性の要件を強化し，会社と直接の利害関係のない独立社外取締役のみで各委員会が構成されなければならないなどの規則改正を行って，株主の利益を代表する取締役の権限を強化した。また，ウォール街改革および消費者保護を目的としたドッド＝フランク法が制定され，役員報酬を株主総会で決定することや，株主が指名する取締役候補者を会社が作成する委任状説明書に記載することなどが定められた。また，パソコン等の製造に必要な錫，金，タングステンなどの鉱物が紛争地域で採掘されたものでないか調査し，報告することが求められている。2024年3月には，SECがアメリカ市場に上場する企業に対して，温暖化ガス排出量の開示を求める規則を採択している。

glossary

07　リーマン・ショック　2008年9月，アメリカの投資銀行リーマン・ブラザーズ・ホールディングス（Lehman Brothers Holdings Inc.）の経営破綻を契機として始まった経済危機のこと。リーマン・ブラザーズは，アメリカにおいて，あまり優良でない借り手に貸し付けられた住宅ローンである，サブプライム・ローンの債権を購入し，世界中の金融機関に高利回りの金融商品として販売していた。ところが，アメリカで住宅価格が下落し始めたことから経営危機に陥り，その破綻が金融商品の購入者に影響したことで，経済危機が生じた。

ンスが必ずしも日本と同じ仕組みになっているわけではない。会社は，それぞれの国の社会の中で活動しているため，コーポレート・ガバナンスも，各国の歴史や文化から影響を受ける（**Column ❿**）。とはいえ，企業活動や市場のグローバル化が進む中，コーポレート・ガバナンスについても，国際的な標準化に向けた取り組みが，OECD（経済協力開発機構）などの国際機関によって行われている。

┃ コーポレート・ガバナンスへの関心の高まり ┃

　コーポレート・ガバナンスの統制活動は，有価証券報告書への虚偽の記載を含め，経営者個人あるいは経営陣による不祥事をいかに抑制するか，そのために取締役会をいかに機能させるかという点にかかわっている。日本では，1991年にイトマンの経営者が自身の利益のために会社の利益を損なったとして特別背任罪に問われたことで，コーポレート・ガバナンスへの関心が高まった。これ以前は，企業に対する主たる貸し手であり株主でもあるメインバンクがいれば，経営者の行動は統制できると考えられていたのが，イトマンのメインバンクであった当時の住友銀行ですら，経営者の暴走を阻止できなかったことが明らかになったからである。

　一方，同時期の日米構造協議においては，アメリカ側から**社外取締役**の導入が求められた。のみならず，1990年代初頭の「バブル崩壊」と呼ばれる株価急落に際し，証券会社が大口投資家に対して株価下落による損失を補塡していたという不適切な行為が発覚し，外国の投資家も日本の証券会社に社外取締役の導入を求めた。このように，日本においては，経営者に対する監視・牽制の側面からコーポレート・ガバナンスが議論され，その後の商法の大改正や会社法の制定などへとつながっていったのである。

野村，大和に社外取締役を要求
　米国最大の公的年金基金であるカリフォルニア州公務員退職年金基金が野村証券と大和証券に社外取締役受け入れを求める文書を送付したことが明らかになった。米機関投資家が日本企業に，社外取締役を要求したのは初めて。証券不祥事などを機に，株主代表としての社外取締役が経営内容をチェックする必要があると判断した。

──────『日本経済新聞』1992年12月23日

また最近では，欧米を中心に，環境（environment），社会（social），ガバナンス（governance）に配慮している企業に積極的に投資する，**ESG 投資**が増え，2022 年の運用資産残高は世界で 4500 兆円に上るともいわれる。第 11 章で詳しく取り上げるが，2015 年に国連によって示された SDGs（Sustainable Development Goals：持続可能な開発目標）は，気候変動への具体的対策や貧困の撲滅など 17 の目標と 169 の達成基準からなり，企業もそれらの目標の達成に協力することが求められている。こうしたもとにあって，ESG 投資は，コーポレート・ガバナンスへの取り組み自体を対象にし，そこに経営活動の統制を含めることで不祥事を防止しようとしていることが，環境問題・社会問題などへの取り組みと並んで，投資家から評価されているのである。

　日本政府も，コーポレート・ガバナンスの，会社を方向づけて経営活動を統制する機能に注目している。2014 年 6 月に公表した「『日本再興戦略』改訂 2014──未来への挑戦」でも，企業の「稼ぐ力」を高めるためにはコーポレート・ガバナンスの強化が必要であるとして，経営者マインドを「稼ぐ力」を高める方向に変えようとした（▶第④節）。これにより，後で取り上げる「コーポレート・ガバナンス・コード」や「スチュワードシップ・コード」が制定されることとなった。

　本節で見てきたように，コーポレート・ガバナンスは，会社の経営者と株主との関係，および，会社とそのステークホルダーとの関係にかかわるものであるが，そのかかわり方は時代とともに変化する。政府や証券取引所が企業に対してコーポレート・ガバナンスの変革を求めることもある。次節以降では，日本を中心にコーポレート・ガバナンスの変遷を見ていくこととしよう。

コーポレート・ガバナンス改革

▍一連の企業不祥事発覚による改革の始動──1990 年代

　前節でも少し触れた通り，1991 年に当時の四大証券による大口顧客への損失補塡などの「金融スキャンダル」が発覚し，日米構造協議においてアメリカ

政府から社外取締役の導入を求められたことを受け，日本政府は1993年に商法を改正，大会社に社外監査役および監査役会を導入させ，また監査役の任期を2年から3年に伸ばした。ここでの大会社とは，資本金が5億円以上か，200億円以上の負債がある会社を指す。しかし，これらの取り組みにもかかわらず，その後も政治家への贈賄行為や談合事件，アメリカ国債や銅の不正取引などの不祥事が相次いで発覚した。その中には，株主となり株主総会などを通じて不正に利益を得ようとする「総会屋」と呼ばれる反社会的勢力とのかかわりによる事件や，内部者のみが知りうる情報を利用して不正に株式証券を取引する事件など，株主にかかわるものも含まれていた。この時期にはまた，証券会社や銀行などの大手金融機関の経営破綻が，株主に大きな損失を与えた。

　こうした中，1998年に，コーポレート・ガバナンスに関心のある経営者・実務家・研究者が設立した日本コーポレート・ガバナンス・フォーラムが，「コーポレート・ガバナンス原則」を公表した。そこでは，「統治構造」として，取締役と取締役会に関し，企業と直接の利害関係のない**独立社外取締役**を任期5年程度で選任することや，取締役会の構成員数を的確で迅速な意思決定を行える人数にすること，取締役会と業務執行担当役員を分離して企業の意思決定機関と業務執行機関との区別を明確にすることが，求められていた。前掲の新聞記事に登場したカリフォルニア州公務員退職年金基金（CalPERS）も同年に「対日ガバナンス原則」を公表しているが，この中でも，日本企業の取締役会は，株主に対する取締役会の義務と責任の比較指標として，この「コーポレート・ガバナンス原則」を採用すべきであるとされていた。

法律面を中心とした改革——2000年代

　1990年代後半の企業不祥事や大手金融機関の破綻を受けて，2001年の商法改正では監査役の機能がいっそう強化されることとなり，監査役の取締役会への出席の義務づけ，社外監査役の増員などが行われた。さらに2002年の商法改正では，委員会等設置会社の設立が認められた。これは，社外取締役が過半数を占める監査委員会・報酬委員会・指名委員会を設置し，取締役会が経営を監督する一方で，業務執行については執行役に委ねるという体制である。委員会等設置会社では，取締役会に**監査委員会**を置くことになるため，監査役を選

任することはできなくなる。これは，アメリカやイギリスの取締役会制度に近いものである。

東京証券取引所も，2002年に上場会社ガバナンス委員会を設置し，2004年に「上場会社コーポレート・ガバナンス原則」を公表した。そこでは，上場会社のコーポレート・ガバナンスには，株主の権利保護が期待されていると指摘する一方で，ステークホルダーとの関係に関しても，企業とステークホルダーとが円滑な関係を構築することを通じて企業価値や雇用を創造し，その上で健全な企業経営の維持を促すことが期待されているとしている。

また，2001年には，企業年金に関する業務を運営する厚生年金基金連合会（現：企業年金連合会）が，機関投資家でもあることから，コーポレート・ガバナンスの実効性を高める目的で「株主議決権行使実務ガイドライン」を公表している。これを踏まえて同会は，2003年に，株主となっている会社の株主総会の議案のうち4割に反対投票を行った。厚生年金基金連合会は，業務の拡大に伴って2005年に企業年金連合会となるが，2007年には「コーポレート・ガバナンス原則」を公表し，この原則に則って保有する全銘柄について議決権を行使し，企業に対して長期的に株主価値を最大限尊重する経営を行うよう求めるとした。具体的には，投資先の企業に対して利害関係をいっさい有しない独立した社外取締役の登用が求められている。

2005年，明治時代に制定された商法を現代の表現に改める改正が行われる中，それに伴って会社法が制定され，委員会等設置会社は委員会設置会社と呼ばれるようになった。また同法では，**内部統制**の確立が求められている。同じ年，アメリカのサーベンス＝オクスリー法（●Column ⑩）を参考にして，証券取引法を改正する形で金融商品取引法が制定され，ここにおいても大会社に内部統制の確立が求められた。その後も，法制審議会においては，社外取締役設置の義務化など，コーポレート・ガバナンスにかかわる会社法の改正が，さらに議論されていく。しかし，こうした取り組みの一方で，大企業による品質の虚偽表示やリコール隠し，顧客の個人情報の流出などの不祥事が発覚している。

東京証券取引所は，2009年にも，企業グループにおけるコーポレート・ガバナンスなどを追記して，「上場会社コーポレート・ガバナンス原則」を改訂した。東京証券取引所はまた，同じ年に，上場会社に対して取締役会や監査役

会に会社の利益から独立した役員を選任することを求めている。なお，同取引所は，1998年より上場会社に対してコーポレート・ガバナンスに関するアンケート調査を行っており，2006年にコーポレート・ガバナンス開示制度が導入されると，開示情報をもとに上場会社の現状を分析した『コーポレート・ガバナンス白書』を定期的に発行するようになった。

▌2つのコードの制定──2010年以降▐

2011年，大手精密機械メーカーのオリンパスにおいて，経営者主導で粉飾決算が行われたことが発覚した。また，これ以前にも，衣料商社シャルレの元社長らによるMBO（経営者による買収）の際の不正が発覚したことなどもあった。そこで，社外取締役などの会社経営に対する監督機能を強化しようと，2015年に会社法が改正された。ここにおいて，委員会設置会社は指名委員会等設置会社と改められ，また，新たに監査等委員会設置会社が認められた。

監査等委員会設置会社では，取締役から選任された監査等委員で構成される委員会が取締役会に設置され，監査等委員会には構成員の過半数が社外取締役であることが求められる。また，監査等委員会設置会社には，委員会設置会社と同様に監査役・監査役会は設置できないが，委員会設置会社とは異なって，指名委員会・報酬委員会・執行役の設置は求められていない。

しかし，こうした会社法改正にもかかわらず，その後も，東芝の粉飾決算（**Column ⑪**）や三菱自動車などでのデータ不正が発覚し，2019年の会社法改正において上場企業に対して社外取締役の設置が義務化されている。次の新聞記事は，2019年に会社法改正内容を伝えるものである。

> **2019年の会社法改正**
> 　改正会社法は商業登記法など計91本の法律を一括で改正する。総会資料の電子提供など一部を除いて2021年6月までに施行する。
> 　同法には「上場会社は社外取締役を置かなければならない」と明記した。(1)監査役会を置き，株式の譲渡制限がない(2)資本金が5億円以上または負債総額200億円以上の大会社(3)有価証券報告書の提出義務がある──のいずれも満たす企業を対象とする。

──────『日本経済新聞』電子版2019年12月4日

政府は2013年に「日本再興戦略──JAPAN is BACK」を公表し，「企業の

2 コーポレート・ガバナンス改革　● 61

Column ⓫　東芝の経営危機

　2015 年 2 月，証券取引等監視委員会の検査を受け，東芝で不適切な会計処理が行われていることが発覚した。2015 年 7 月には第三者委員会が，経営トップの関与で 2009 年 3 月期から 2014 年 4〜12 月期において計 1518 億円の利益が水増しされていたことを指摘し，当時の社長が辞任する事態となった。第三者委員会は，再発防止策として，経営者の責任を明確にするよう意識改革を行うこと，不適切な会計処理の原因となった実力以上に嵩上げされた予算を前提とする「チャレンジ」を廃止すること，上司の意向に逆らうことができない企業風土を改革することなどをあげている。コーポレート・ガバナンスの点では，取締役会議長を選任して，社外取締役でも就任できるようにし，取締役会の構成も過半数を社外取締役にし，監査委員会と会計監査人との連携を強化するなどが考えられた。しかしながら，同社は 2016 年に経営危機に陥り，医療機器子会社である東芝メディカルをキヤノンに，家電部門を中国の美的集団に売却するに至った。

　さらに 2017 年 2 月，傘下にあったアメリカの原子力プラント・メーカー，ウェスティングハウスの会計処理をめぐって経営者が圧力をかけた旨の内部通報により，予定されていた決算発表が 1 カ月延期されたが，これは 4 月には監査法人からの承認を得ないまま発表されることとなる。また，同年 3 月の臨時株主総会では，半導体事業の分社化が 3 分の 2 以上の株主の賛成で承認された。これらはいずれも，ウェスティングハウスの経営破綻により，1 兆円超の損失の発生が見込まれたことに伴う対応であった。東芝は，2006 年に同社を買収したが，2008 年に受注した 4 基の原子力発電所事業で安全基準を満たすためのコストが拡大したことが破綻の原因となった。こうした意思決定は，執行役員制度を導入し，委員会等設置会社に移行した後に行われていたのである。なお，東芝は，2023 年 12 月に上場を廃止し，単独の投資ファンドを唯一の株主として経営再建に取り組んでいる（『日本経済新聞』2017 年 3 月 28 日；2017 年 5 月 19 日；2017 年 6 月 27 日；2023 年 12 月 19 日，『日経産業新聞』2015 年 7 月 22 日）。

持続的な成長を促す観点から，幅広い範囲の機関投資家が企業との建設的な対話を行い，適切に受託者責任を果たすための原則」をまとめるとした。これを受けて，金融庁は，「日本版スチュワードシップ・コードに関する有識者検討会」を設置してその策定作業を開始し，2015 年に「スチュワードシップ・コ

ード」が公表された。

「スチュワードシップ」とは，財産を受託した者（ここでは機関投資家）の責任を意味する。「スチュワードシップ・コード」では，金融庁が機関投資家に対し，スチュワードシップ責任を果たすための，明確な方針の策定と公表，およびスチュワードシップ責任を果たす上で管理すべき利益相反についての，明確な方針の策定と公表を求めている。また，議決権の行使と行使結果の公表について，明確な方針を持つべきであるとしている。ただし，「スチュワードシップ・コード」の目的は，機関投資家と投資先企業との間で建設的な「目的を持った対話」が行われるのを促すことであり，機関投資家が投資先企業の経営の細部に介入することが目的とされているのではない。

なお，「スチュワードシップ・コード」は，「プリンシプルベース・アプローチ」（原則主義）を採用している。これは，抽象的で大づかみな原則（プリンシプル）について，関係者がその趣旨・精神を確認し，互いに共有した上で，自らの活動が形式的な文言・記載ではなく，その趣旨・精神に照らして真に適切か否かを判断するというものである。ここではまた，後述の「コンプライ・オア・エクスプレイン」の手法が採用されている。

金融庁は，2017年5月にも，機関投資家と企業との対話をより進めることを企図して，「スチュワードシップ・コード」を改訂した。そこでは，資産所有者であるアセット・オーナーに関する記述が加えられ，資産所有者に対して運用機関のモニタリングを求め，さらに運用機関に対してはガバナンス体制の確立を求めている。また，ESG投資に関連して，機関投資家に対し，投資先の事業におけるリスク・収益機会（社会・環境問題に関連するリスクを含む）と，そうしたリスク・収益機会への対応を把握しておくよう求めている。

さらに，2020年3月には，機関投資家はESGを含むサステナビリティを考慮すること，債券などの資産に投資する機関投資家も適用対象に含めること，運用機関による開示・説明を拡充すること，企業年金等によるスチュワードシップ活動を明確化すること，議決権行使助言会社，運用コンサルタントなどの機関投資家向けサービス提供者に対する規律を整備することを加えて，「スチュワードシップ・コード」を改訂している。

「スチュワードシップ・コード」を受け入れる機関投資家は年々増加してい

る。金融庁は「スチュワードシップ・コード」の受け入れを表明した機関投資家の数を公表しているが，2014年5月時点では100余りだったものが，2023年5月には，327になっている。さらに，次の新聞記事は，あらかじめ年金給付額が決められている確定給付型企業年金においても，「スチュワードシップ・コード」の導入が行われていることを紹介している。

企業年金，「行動規範」導入相次ぐ　パナソニックやエーザイ，投資先に規律求める
　機関投資家向けの行動規範（スチュワードシップ・コード）を導入する確定給付型企業年金（DB）が相次いでいる。このほど，パナソニックとエーザイが受け入れると表明した。運用会社を通じて投資先企業の価値向上を促す狙いだ。同規範の導入が公的年金や運用会社に続いて企業年金にも広がり，上場企業に規律を求める市場の圧力が高まりそうだ。

―――――『日本経済新聞』2018年3月6日夕刊

　日本においても，スチュワードシップを意識した投資家が，企業に対してコーポレート・ガバナンス改革を求める動きが高まっているのである。しかもそれが，「物言う株主」として，積極的に株主としての独自の主張を展開する投資ファンドのような投資家ばかりでなく，企業年金のような，これまで投資先に意見をいわなかった投資家にまで広がっているのである。

　なお，「スチュワードシップ・コード」は投資家を対象にしているが，企業を対象にしたコードもある。2013年に大阪証券取引所が東京証券取引所グループを吸収合併する形で設立された日本取引所グループは，政府の指示を受け，金融庁と協力してコーポレート・ガバナンスに関する原則の策定作業を進めた。2014年にコーポレート・ガバナンス・コードの策定に関する有識者会議を設置し，翌2015年には東京証券取引所が上場会社に対して「コーポレート・ガバナンス・コード――会社の持続的な成長と中長期的な企業価値の向上のために」を公表し運用を始めている。

　そこでは，イギリスのコーポレート・ガバナンス改革で採用された，「遵守せよ，さもなくば，説明せよ」の原則が採用されている。これは，「コンプライ・オア・エクスプレイン」の手法といわれる（Column ❷）。そのおもな内容は，「株主の権利・平等性の確保」「株主以外のステークホルダーとの適切な協働」「適切な情報開示と透明性の確保」「取締役会等の責務」「株主との対話」

64 ● CHAPTER 3　コーポレート・ガバナンス

Column ⑫ イギリスのコーポレート・ガバナンス

　イギリスの株式会社は，アメリカと同様に，機関として監査役会や監査役を有していない。しかし1990年代初頭，相次ぐ不祥事の発覚を受け，LSE（ロンドン証券取引所）や財務報告に関係する団体などによって，当時キャドバリー・シュウェップスの会長であったエイドリアン・キャドバリーを委員長とする委員会が設置され，1992年には，CEOと取締役会議長の分離，社外取締役の増員，社外取締役で構成される監査委員会・指名委員会・報酬委員会の設置などを内容とする，コーポレート・ガバナンスに関する**最善慣行コード**（code of best practice）が公表された。

　このコードは，当時イギリスにおける一部の会社で行われていたコーポレート・ガバナンスの中で，最もよいと思われるやり方をまとめたもので，「遵守せよ，さもなくば，説明せよ」（"Comply, or explain."）を原則としていた。この原則は，コードを遵守するか，遵守できない場合には，その理由を説明することを求めるものである。必ず遵守しなければならない法的規制をハード・ローと呼ぶのに対し，こうした対応はソフト・ローと呼ばれる。このコードは，各国のコーポレート・ガバナンス改革にも影響を与えた。そしてこれ自体も，その後，経営者報酬や社外取締役の役割問題に関するコードなどが追加され，2010年にはそれまでの改革を受けた統合規範の改訂として「英国コーポレートガバナンス・コード」が公表，その後，2012年，2018年に改訂されている。

　一方，機関投資家をめぐっては，以下のような動きが見られた。1991年に機関株主委員会が機関株主の責任についての声明を出した後，2001年には機関投資家の性質と役割に関するマイナーズ報告書が提出された。また2009年に，ウォーカー報告書が機関投資家のための規範策定を勧告したことを受け，機関株主委員会によって機関投資家の責任規範が制定された。2010年には，財務報告評議会が，会社の長期的成功を促進すべく，機関投資家に投資原則やスチュワードシップの公表などを求めた「スチュワードシップ・コード」を発表し，その後，2012年，2020年にこれを改訂した。

である。

　「株主の権利・平等性の確保」では，少数株主や外国人株主にも十分に配慮することが求められている。「株主以外のステークホルダーとの適切な協働」では，取締役会・経営陣が，従業員・顧客・取引先・債権者・地域社会などと

いったステークホルダーの権利・立場や，健全な事業活動倫理を尊重する企業文化・風土の醸成に向けて，リーダーシップを発揮することが求められている。「適切な情報開示と透明性の確保」では，株主と建設的な対話を行うために，財務情報のみならず非財務情報についても正確で有用なものの提供が求められている。

　「取締役会等の責務」は，株主に対する受託責任（受託者責任）・説明責任を明記して企業戦略等の大きな方向性を示すこと，経営幹部による適切なリスク・テイクを支える環境整備を行うこと，独立した客観的な立場から経営陣・取締役に対する実効性の高い監督を行うことであるとされ，その上で，独立社外取締役の有効な活用が求められている。「株主との対話」では，持続的な成長と中長期的な企業価値の向上のため，株主総会の場以外においても株主との間で建設的な対話をすべきことが求められている。

　最近では，いずれも2017年に公表された，経済産業省の「コーポレート・ガバナンス・システムに関する実務指針」（CGSガイドライン）および政府の「未来投資戦略2017——Society 5.0の実現に向けた改革」において，相談役・顧問の役割について情報発信することが求められるようになった。これについては東京証券取引所も，上場会社に対して，「コーポレート・ガバナンスに関する報告書」に記載することを求めている（▶第④節）。また，前出の「コーポレート・ガバナンス・コード」は2018年6月に改訂され，政策的に自社株を所有している場合の方針などの開示を求めるようになった。

　東京証券取引所は，2022年の市場再編を踏まえ，2021年6月にも「コーポレート・ガバナンス・コード」を改訂している。おもな改訂点は，とくに，プライム市場に上場する企業に対して，取締役の3分の1以上の独立社外取締役を選任すること，指名委員会と報酬委員会の過半数を独立社外取締役とすること，他社での経営経験を有する人材を独立社外取締役へ選任すること，管理職

glossary

08　相談役と顧問　これまで，日本の大企業の多くは，取締役社長や取締役会長を経験した人物を「相談役」や「顧問」としてきた。現役の経営者から相談を受けることがおもな役割になるが，その人物が現役の経営者であったときと同じように，専用の部屋と秘書が与えられ，社用車での送り迎えが行われているところもある。また，相談役や顧問には，必ずしも任期がないともいわれている。

CHART 表3.1　日本のコーポレート・ガバナンス改革の動き

1991 年	金融スキャンダルが発覚する
	日米構造協議において，アメリカより社外取締役の選任を求められる
1993 年	商法が改正され，大会社に社外監査役と監査役会が義務づけられる
1998 年	日本コーポレート・ガバナンス・フォーラムが「コーポレート・ガバナンス原則」を公表する
	CalPERS が「対日ガバナンス原則」を公表する
2001 年	商法が改正され，監査役の取締役会への出席が義務づけられる
2002 年	商法が改正され，委員会等設置会社の設立が認められる
2004 年	東証が「上場会社コーポレート・ガバナンス原則」を公表する
2005 年	会社法が制定され，委員会設置会社の設立が認められる
2007 年	企業年金連合会が「コーポレート・ガバナンス原則」を公表する
2009 年	東証が「上場会社コーポレート・ガバナンス原則」を改訂する
2013 年	政府が「日本再興戦略」を公表する
2015 年	会社法が改正され，委員会設置会社は指名委員会等設置会社となり，新たに監査等委員会設置会社の設立が認められる
	金融庁が「スチュワードシップ・コード」を公表する
	東証が上場会社に対して「コーポレート・ガバナンス・コード」を公表する
2017 年	金融庁が「スチュワードシップ・コード」を改訂する
	経済産業省が「コーポレート・ガバナンス・システムに関する実務指針」（CGS ガイドライン）を公表する
2018 年	東証が「コーポレート・ガバナンス・コード」を改訂する
2020 年	金融庁が「スチュワードシップ・コード」を改訂する
2021 年	東証が「コーポレート・ガバナンス・コード」を改訂する

出所）　筆者作成。

における多様性の確保，TCFD（気候関連財務情報開示タスクフォース）かそれと同等の国際的枠組みに基づく気候変動開示の質と量の充実などを求めている。なお，取締役会の機能の発揮，企業の中核人材における多様性の確保，サステナビリティをめぐる課題への取り組みについては，すべての上場企業に向けたものである。

　東京証券取引所は，「コーポレート・ガバナンス・コード」へのプライム市場，スタンダード市場にそれぞれ上場している企業の対応状況を公表している。2022 年 7 月時点で基本原則の「株主の権利・平等性の確保」を遵守している

2　コーポレート・ガバナンス改革　● 67

企業は，プライム市場，スタンダード市場とも 100 ％，基本原則の「株主以外のステークホルダーとの適切な協働」については，プライム市場の企業で 99.9 ％，スタンダード市場の企業は 100 ％，基本原則の「適切な情報開示と透明性の確保」については，プライム市場，スタンダード市場とも 99.9 ％，基本原則の「取締役会等の責務」については，プライム市場，スタンダード市場とも 100 ％，基本原則の「株主との対話」については，プライム市場，スタンダード市場とも 99.9 ％となっている。プライム市場，スタンダード市場に上場している企業においては，「コーポレート・ガバナンス・コード」がほぼ遵守されている。

本節で概観した日本のコーポレート・ガバナンス改革の一連の動きを整理したのが，表 3.1 である。

 個別企業の取り組み

| 一部の企業における取締役会改革──2003 年まで |

本節では，前節で見たような公的規制や自主規制を受け，個々の企業はどのように対応したのかを確認していこう。ここでは，ソニー，パナソニック（旧：松下電器産業），キヤノンの 3 社を中心に議論する。というのも，ソニーは，1990 年代以降，取締役会改革を中心としたコーポレート・ガバナンス改革に先進的に取り組んできた日本企業であり（ ▶第 2 章 Column ❽），一方，キヤノンは，コーポレート・ガバナンス・コードの制定や会社法改正などの動きを見極めながらコーポレート・ガバナンス改革に取り組んできた企業である。両社の対応は対照的であるため，この 2 社に，その中間に位置づけられうるパナソニックを加えた 3 社を中心に，見ていくこととしよう。

ソニーは，1970 年に，日本企業としてはじめてニューヨーク証券取引所に上場し，この際に 2 名の社外取締役を選任している。その後 1993 年に商法が改正されると，1995 年には社外監査役を 1 名増員し 2 名にした。また，パナソニックも 1971 年にニューヨーク証券取引所に上場し，翌年に 2 名の社外取

締役を選任している。1993年の商法改正に際しては，翌1994年に社外監査役を1名増員し2名にしている。

　前節で述べたように，企業不祥事の発覚や景気の低迷などを受けてコーポレート・ガバナンスへの関心が高まる中，ソニーは，1997年に執行役員制度を導入して取締役会の規模を約4分の1に縮小，社外取締役を3名にし，指名委員会・報酬委員会を設置した。また，2000年には取締役会議長を設置して，いわゆる「会長」と取締役会議長の職を明確に区別している。というのも，1997年時点で外国人株主によるソニー株の所有割合は45.0％に達していたため，同社が英米流のコーポレート・ガバナンスの仕組みを導入することは理に適っていたといえるのである。ソニーが執行役員制度を導入した後，100社以上の会社で執行役員制度が導入され，取締役会の規模が縮小されたが，このときにはパナソニックとキヤノンはこの制度を導入しなかった。

　このころ，かつてワンマン経営者による放漫経営に陥ったことのあった大手繊維メーカーの帝人が，1999年にアドバイザリー・ボード（経営諮問委員会）を設置して，経営者の解任勧告を認めている。1999年には，NTTなどで社外取締役が選任され，富士ゼロックス（現・富士フイルムビジネスイノベーション）が取締役会に財務委員会および役員指名・報酬委員会を，オリックスが指名・報酬委員会を，それぞれ設置した。2001年には，HOYAが取締役会改革を行い，社外取締役と内部出身取締役を3名の同数にしている。2002年の商法改正を受け，翌2003年にはソニー，オリックス，東芝，HOYAなどが委員会等設置会社へ移行した。なおソニーでは，2005年に，業績が低迷する中，社外取締役に促される形で会長と社長が辞任した。

　雪印乳業（現：雪印メグミルク）は，2度目の企業不祥事発覚後，2002年に一部の活動的な株主からの要請を受け，消費者団体の役員だった女性を企業倫理担当の社外取締役に任命した。また，パナソニックは2003年に，意思決定の迅速化を目的として取締役会改革を行い，32名いた取締役を19名にして，新たに常務役員などを設置した。これは，執行役員制度に近い体制である。なお，この年にはトヨタ自動車も，取締役を58名から27名にし，新たに常務役員などを設置している。

会社法やコードへの対応——2005年以降

　キヤノンは，2005年に，事業本部長や経理本部長を兼務する取締役を4名増やし，取締役を26名とした。このように部長が取締役を兼務することは，1990年代以前の日本の大企業においては一般的であったものの，キヤノンの決定は，ソニーによる執行役員制度の導入以降，監督と執行とを分離する企業が増えていた中でのものである。当時のキヤノンにおいても，外国人株主の所有割合は4割を超えていたが，同社はソニーやトヨタ自動車と同じ方向に改革を進めなかったのである。

　不祥事が発覚した企業は，コーポレート・ガバナンス改革を行う。経営者による不祥事を起こした大王製紙は，発覚前の2011年には14名の取締役のうち社外取締役はゼロ，監査役は5名のうち3名が社外監査役という構成であったのが，発覚後の2012年には取締役を13名とし，うち2名には社外取締役を選任した（監査役の構成は変更なし）。さらに，「コンプライアンス委員会」を「リスク管理・コンプライアンス委員会」に改組して社外取締役を委員に加え，不正リスクの網羅的な管理を行うとしている。

　また，粉飾決算が発覚したオリンパスでは，発覚前の2012年には，すでに11名の取締役のうち6名が社外取締役，4名の監査役のうち2名が社外監査役であった。こうしたコーポレート・ガバナンス体制のもとでも不祥事が発覚したことを受けて，同社は，2013年に13名の取締役のうち8名を社外取締役として，社外取締役の割合を高めている（監査役の構成は変更なし）。社外取締役の割合を高めたことで，各人の専門知識を活かし独立的な立場から取締役会での意思決定や監督が行われることが期待されている。

　ソニーは，2023年現在，取締役会を10名の取締役で構成し，うち8名を独立社外取締役としている。指名委員会は3名の委員のうち3名，報酬委員会は3名の委員のうち3名，監査委員会は3名のうち3名が独立社外取締役である。

　パナソニックの取締役会は，2023年現在，13名の取締役で構成され，そのうち6名が独立社外取締役となっている。監査役は5名で，うち3名が社外監査役である。指名委員会，報酬委員会に相当する任意の委員会がそれぞれ取締役5名で構成され，そのうち3名が独立社外取締役である。

キヤノンの取締役会は，2018年において，2017年より1名削減し，6名で構成され，そのうち2名が社外取締役であった。2020年には，さらに1名減らし，取締役は5名となり，そのうち2名が社外取締役で，社外取締役の割合を高めている。2023年に，取締役の増員が行われ，10名の取締役で構成されるようになり，そのうち4名が独立社外取締役となっている。また，2023年時点における指名委員会，報酬委員会に相当する任意の指名・報酬委員会は，代表取締役1名，独立社外取締役4名と社外監査役1名で構成されている。なお，監査役は5名で，うち3名は社外監査役という構成は，2017年と変わっていない。

　ソニー，パナソニック，キヤノンの3社は，取締役会の構成を含め，東京証券取引所のプライム市場に上場し，「コーポレート・ガバナンス・コード」の遵守に積極的である。2021年の「コーポレート・ガバナンス・コード」の改訂により，プライム市場に上場する企業に対して，独立社外取締役を3分の1以上選任することを求めていることから，2023年時点の3社の取締役会の構成は，これを満たすものになっている。

> **独立社外取締役　東証1部27％が「3分の1以上」**
>
> 　東証1部上場企業の27.2％が，利害関係の薄い独立社外取締役を全取締役の3分の1以上にしたことがわかった。東京証券取引所が調査し，26日発表した。比率は前年の調査より4.5ポイント高い。一部の運用会社が，株主総会での取締役選任議案の賛否を判断する要件にした影響が大きかったと見られる。

———『日本経済新聞』2017年7月27日

　日本企業のすべてではないが，社外取締役さらには独立社外取締役の選任が進み，コーポレート・ガバナンス改革が進展していることがわかる。これらは，企業不祥事の発覚を契機に取り組まれるばかりでなく，会社法改正という**公的規制**や，「コーポレート・ガバナンス・コード」の公表のような**自主規制**に対応して，行われているのである。

4 改革の成果

　このように，日本企業においても，コーポレート・ガバナンス改革は進展し，独立社外取締役を選任する企業が増えてきている。第①節で見たように，コーポレート・ガバナンスは取締役会による会社の指揮・統制にかかわるが，近年の日本では，不祥事防止といった統制の機能面のみならず，会社の業績を向上させるための指揮の側面に対する注目も高まってきている。すでに述べた通り，日本政府が 2014 年 6 月に公表した「『日本再興戦略』改訂 2014——未来への挑戦」の中でも，企業の「稼ぐ力」を高めるために必要な道筋として，コーポレート・ガバナンスの強化によって経営者マインドの変革を促すことに触れられている。その構想は，図 3.3 に示すように，会社法改正や「コーポレート・ガバナンス・コード」および「スチュワードシップ・コード」の公表などによって，企業にコーポレート・ガバナンス改革を促し，企業の国際競争力の向上を図るというものであった。これら会社法の改正，「コーポレート・ガバナンス・コード」や「スチュワードシップ・コード」の公表は，2015 年に行われたことから，日本においては 2015 年を「コーポレート・ガバナンス元年」と呼ぶこともある。

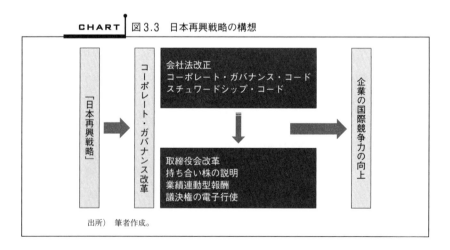

図 3.3　日本再興戦略の構想

（出所）　筆者作成。

CHART | 表 3.2 取締役・監査役構成の変遷

	ソニー	パナソニック	キヤノン
1993 年	取締役 38 名（社外 2 名） 監査役 3 名（社外 2 名）	取締役 32 名（社外 2 名） 監査役 5 名（社外 2 名）	取締役 27 名（社外 0 名） 監査役 4 名（社外 2 名）
1998 年	取締役 10 名（社外 3 名） 監査役 4 名（社外 2 名）	取締役 32 名（社外 3 名） 監査役 4 名（社外 2 名）	取締役 22 名（社外 0 名） 監査役 4 名（社外 2 名）
2006 年	取締役 14 名（社外 10 名） 委員会設置会社	取締役 17 名（社外 2 名） 監査役 5 名（社外 3 名）	取締役 27 名（社外 0 名） 監査役 5 名（社外 3 名）
2010 年	取締役 14 名（社外 12 名） 委員会設置会社	取締役 19 名（社外 2 名） 監査役 5 名（社外 3 名）	取締役 19 名（社外 0 名） 監査役 5 名（社外 3 名）
2017 年	取締役 12 名（社外 9 名） 指名委員会等設置会社	取締役 12 名（社外 4 名） 監査役 5 名（社外 3 名）	取締役 7 名（社外 2 名） 監査役 5 名（社外 3 名）
2023 年	取締役 10 名（社外 8 名） 指名委員会等設置会社	取締役 13 名（社外 6 名） 監査役 5 名（社外 3 名）	取締役 10 名（社外 4 名） 監査役 5 名（社外 3 名）

出所）　各社の有価証券報告書を参考に筆者作成。

　コーポレート・ガバナンス改革は，企業経営にどのような変化をもたらしたのであろうか。表 3.2 に，ソニー，パナソニック，キヤノンにおける取締役会構成の変化を示した。3 社いずれにおいても取締役会の改革が進展し，取締役の構成が変化していることがわかる。また，2017 年以降は，これまで日本の多くの大企業が行ってきた，社長や会長を退任した人物を相談役や顧問とする慣行についても変化が起きている。前述の通り，東京証券取引所は，「コーポレート・ガバナンスに関する報告書」にその業務内容と報酬などについて記載することを求めるようになった。こうしたことを受けて，次の新聞記事にあるような変化が生じている。

相談役 廃止相次ぐ
　日本たばこ産業（JT）やカゴメ，伊藤忠商事など，相談役・顧問制度を廃止する企業が相次いでいる。同制度は会社法に規定がなく，慣習的に認められてきた日本企業特有の制度だ。外国人投資家を中心に，透明性などについて批判が出ている。企業統治（コーポレートガバナンス）の向上につなげる観点からも，見直しの動きが今後も広がりそうだ。

　　　　　　　　　　　　　　　　　　　　——『日本経済新聞』2018 年 2 月 7 日

　なお，『読売新聞』（2018 年 7 月 14 日）は，2018 年 3 月期の役員報酬の最高額

がソニー会長の27億円であったことを報じた。同期に1億円以上の報酬を受け取った上場会社の役員は，前期より72名多い538名で，役員報酬の開示が義務づけられた2010年以降，最多になったとのことである。一方，財務省「法人企業統計調査（年次別調査）」を見ると，全産業の経常利益が2013年に72兆7280億円だったものが2022年には95兆2800億円まで改善し，こうした好業績が経営者報酬に影響していることがうかがわれる。とはいえ，企業業績の改善をもたらすのは，コーポレート・ガバナンスだけではない。それには，第4章以降で取り上げる経営戦略，経営組織，社会とのかかわりなども大きく影響する。企業の業績は，必ずしもコーポレート・ガバナンス改革に依存しているわけではないのである。

　コーポレート・ガバナンスには，投資家のみならず，さまざまなステークホルダーがかかわっている。だからこそ，企業活動がグローバル化するとともに，日本企業独自の慣行は，改めてその意義が問われることになったのである。だとしても，海外のステークホルダーの意見を無批判に受け入れればよいというものではない。日本企業固有のコーポレート・ガバナンスの仕組みや慣行であっても，グローバルに通用するものであるならば，それを説明すればよいのである。日本企業はこれまで，外部のステークホルダーへの情報発信を十分に行ってこなかった。これには，公用語が英語ではなく日本語であることも影響しているであろう。しかしながら，現在の日本企業は，コーポレート・ガバナンスの観点からも，積極的に海外の投資家を含むステークホルダーに対して発信することが求められている。企業活動の透明性が向上すれば，企業不祥事の防止にもつながり，それはコーポレート・ガバナンス改革の成果となるのである。

EXERCISE

① 新聞記事データベース（日経テレコンなど）を用いて，日本企業のコーポレート・ガバナンス改革に関する事例を1つ見つけ，その事例における改革の目的を整理してみよう。

② 以下の**雪印メグミルクの事例**を読み，なぜコーポレート・ガバナンス改革に継続的に取り組む必要があるのか考えてみよう。

・雪印メグミルクの事例

　雪印乳業（現：雪印メグミルク）は，集団食中毒事件前の2000年時点で，24名の取締役を擁していたが，社外取締役は選任されておらず，4名の監査役のうち2名が社外監査役という状況であった。事件後の2001年には，取締役を大幅に削減して9名としたが，依然として社外取締役は選任されず，監査役についても変更はなかった。雪印乳業は，集団食中毒の原因として，製造過程における品質管理が不十分であったこと，消費者の安全を最優先に考える姿勢が徹底されていなかったことをあげている。そのため，同社は，企業行動憲章・指針の制定，商品安全監査室の設置，食品衛生研究所の設立などに取り組むこととなった。

　ところが，雪印乳業でこうした取り組みが行われていた中，2001年に子会社の雪印食品が政府の補助金を得るために牛肉の産地を偽装していたことが発覚した。事件発覚後，9名の取締役は全員交代し，2002年時点の取締役会は，取締役の人数に変更はなかったものの，1名を社外取締役とし，4名の監査役については，3名を社外監査役としている。雪印乳業は，子会社の牛肉偽装事件の原因として，企業倫理を徹底する意識が不十分であったことや，ホットラインが未整備であったことなどをあげ，事件後，社外取締役を中心とする社外有識者による企業倫理委員会を設置して，企業倫理ホットラインを整備した。

　その後，雪印乳業では，企業倫理委員会により，従業員が参加する形で企業行動憲章が見直されるなどして組織風土改革が行われた。2009年，雪印乳業は，経営統合などにより，雪印メグミルクとなった。2023年には監査等委員会設置会社へ移行して，12名の取締役のうち4名を社外取締役とし，監査等委員には公認会計士の資格を有する者を選任している。

読書案内 ▌　　　　　　　　　　　　　　　　　　　　　Bookguide ●

加護野忠男・砂川伸幸・吉村典久［2010］『コーポレート・ガバナンスの経
　営学――会社統治の新しいパラダイム』有斐閣。
　　本章で述べたようなコーポレート・ガバナンスへの取り組みについて，ア
　メリカとイギリスのコーポレート・ガバナンスをアングロサクソン型，日本
　とドイツのそれをライン型として整理している。コーポレート・ガバナンス
　に関する諸理論についても，わかりやすくまとめられている。
風間信隆編著［2019］『よくわかるコーポレート・ガバナンス』ミネルヴァ
　書房。

読書案内　● 75

本章では，アメリカとイギリスのコーポレート・ガバナンスについて取り上げたが，ドイツ，北欧，韓国，中国におけるコーポレート・ガバナンスや資本市場や機関投資家の観点からもコーポレート・ガバナンスについて取り上げ，わかりやすくそれぞれまとめられている。

動画資料　　　　　　　　　　　　　　　　　　　　　　　　Movieguide ●

アレックス・ギブニー監督「エンロン 巨大企業はいかにして崩壊したのか？」（2005 年，110 分）

　1985 年に合併によって設立されたエンロンが，2000 年には全米第 7 位の売上高を有する企業になりながら，2001 年に経営破綻するまでを取り上げた作品である。

第 2 部
組織としての企業

CHAPTER
4 企業と組織構造
5 日本型企業組織
6 企業と経営戦略
7 M&A と戦略的提携

CHAPTER

第4章

企業と組織構造

> QUESTION
> なぜ，組織がつくられるのだろうか？ なぜ，さまざまな組織構造が見られるのだろうか？

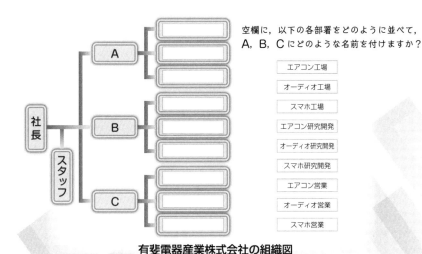

有斐電器産業株式会社の組織図

　現代社会は組織社会である。企業はもちろんのこと，学校や役所，病院など，多くの事業活動が組織で運営されている。なぜ，人は組織をつくるのだろうか。なぜ企業には職能制組織や事業部制組織などさまざまな組織構造が見られるのだろうか。本章では組織と組織構造について取り上げる。

```
┌─────────────────────────────────────────────────────────┐
│ KEYWORD                                                     │
│          組織　　組織の3要素　　分業　　習熟効果　　調整　　標準化 │
│      階層制　　水平関係の設定　　職能制（機能別）組織　　ライン部門　　ス │
│  タッフ部門　　事業部制組織　　プロフィット・センター　　プロジェクト・チ │
│  ーム　　マトリクス組織                                      │
└─────────────────────────────────────────────────────────┘
```

1 なぜ組織をつくるのか

　企業は**組織**で運営されている。もちろん，役所や学校，病院も，組織で業務を営んでいる。なぜ，さまざまな事業が組織で営まれるのだろうか。

　人間はさまざまな能力を持っている。運動能力や思考能力，さらに，嬉しいとか悲しいというような感情も存在する。だからこそ人間にはいろいろな可能性が秘められているのだが，他方で1人の人間でできることには限界もある。たとえば，大きな岩石を人間1人の力で動かすことはできないし，人間1人で1時間に100個のハンバーガーをつくることもできない。

　1人の力ではできないことをどうしてもやり遂げたいと考えるならば，普通は他の人々に協力を求め，力を合わせて困難に立ち向かおうとするだろう。ここに人間が組織をつくる理由がある。

　「大きな岩石」のケースをもとに，組織についてもう少し考えてみよう。

　　1人の旅人が山の一本道を歩いていた。行く手に大きな岩石が横たわっている。左側はそそり立つ岩壁，右側は深い谷で迂回することはできない。岩石は押しても引いてもびくともしない。そこへ後から旅人が1人，また1人とやってきた。3人は相談をして，岩石を右の谷へ落として道を確保することにした。「1，2，3！」の掛け声のもと3人は力を合わせて谷に岩石を落とし，無事に道を確保することに成功した。

　経営組織論のほとんどのテキストで紹介されるチェスター・バーナードによる組織の定義は，「2人以上の人々の意識的に調整された活動や諸力の一体系」というものである（バーナード［1968］）。上記のケースでは，3人の旅人がいることから「2人以上の人々」がおり，相談し，掛け声に合わせて谷に岩石を落

80 ● CHAPTER **4** 企業と組織構造

としていることから「意識的に調整された活動」も見られるので,バーナードの定義する組織が存在していることがわかる。

　バーナードは,組織が成立するには,①共通目的,②目的のために貢献しようとする意欲,③コミュニケーションという**組織の3要素**が必要だとする。上記のケースであれば「岩石を動かす」という共通目的があり,そのために自らの力を出して岩石を押そうという意欲があり,掛け声とともに谷側に岩石を落とすことを確認するコミュニケーションがあることで組織が成立していることがわかる。このケースにおける組織は1回限りのものであり,きわめて単純で原始的なものではあるが,企業などの組織も本質的には同様な性格を持つものである。

 分業と調整

　前述の「1時間で100個のハンバーガーをつくる」ケースを考えてみよう。1時間で100個のハンバーガーをつくる場合,たとえば10人で1人10個ずつハンバーガーをつくるというやり方も考えられなくはないが,普通は,買い出しに行く人,材料を切る人,ハンバーグをこねる人,ハンバーグを焼く人,バンズ(パン)を準備する人,バンズにハンバーグを挟む人といった感じで役割分担しながら作業を進めることになるだろう。また,材料はどの程度買えばよいのか,ハンバーグが焼けると同時にバンズが焼き上がるためにはどのタイミングでバンズを焼き始めればよいのかなどを考え,調整し,指示を出す必要も出てくる。要するに,組織には「分業」と「調整」が不可欠なのである。

　分業とは,組織の中で仕事を分け,組織のメンバーに任せる仕事の範囲を限定することをいう。企業であれば営業部,製造部,研究開発部などのように,専門の部門を設定することがこれにあたる。大学でも経営学部,法学部,医学部といった学問分野による区分けや,教務部,学生部,就職部といった事務担当分野による区分けが存在する。つまり分業は,各メンバーが自らの仕事として特定の領域に特化することを意味する。このことから専門性が発揮され,一般に,分業すると仕事の効率性は高まるとされる。これは専門に特化すること

でその仕事に習熟し（**習熟効果**），仕事を遂行する時間が短縮されるとともに仕事の質が向上することに起因する。毎日同じ仕事を続けていればスピードも上がるし上達するということである。また，その仕事についてより深く理解することで，結果として改善案なども考えられるようになり，より効率のよい仕事の進め方が発見・発明される可能性も出てくる。人の育成という点からも効率性の向上が期待できる。たとえば，1人で多くの仕事を進めなければならない場合には，すべての仕事を理解する必要が出てくるが，特定の領域の仕事に特化していれば，担当の仕事を理解することはそれほど難しくはない。要するに，人材育成の時間が短縮できるというわけである。

　もちろん，分業にもデメリットは存在する。仕事の範囲が限定されると，その仕事が組織全体の中でどういう意味を持つのかがわからなくなることがある。たとえば，自動車会社の経理部門で出張伝票処理を担当している人にとって，その仕事が自動車会社全体の仕事の中でどのように位置づけられているのかがあまり明確ではなくなり，ただ出張伝票処理業務をこなすだけになってしまえば，他の仕事との連携がうまくいかなくなる場合も出てくるかもしれない。さらに，仕事が極度に細分化された場合，仕事それ自体の意味が失われるだけでなく，担当者が自分の頭で仕事の仕方について創意工夫する余地もなくなることから，仕事のおもしろさが薄れ，担当者の勤労意欲が低下することも起こりうる。チャールズ・チャップリンの映画「モダン・タイムス」では，工場の組み立てラインの労働者たちがベルトコンベア上を流れる部品をナットで締め続けるという単純作業が描かれるが，これは分業のデメリットを表す風刺である。

　このように，分業にはデメリットがあるものの，基本的には効率性が高いので，組織では分業が前提になる。しかし，分業を担うそれぞれの人の活動がバラバラでは，組織の本来の目的を達成することができない。つまり，分業によってなされるそれぞれの活動は時間的にも空間的にも統合されていなければならないのである。これが**調整**である。

　おもな調整の方法として，①標準化，②階層制，③水平関係の設定の3つをあげることができる（沼上［2004]）。

　標準化とは，必要とされる仕事の内容，手順をあらかじめマニュアルとして定めておくことである。このマニュアルに従えば，別の仕事との間での相互調

82 ● CHAPTER **4** 企業と組織構造

Column ⓭　マクドナルドの ENJOY! 60 秒サービス

　日本マクドナルドは，2013 年 1 月 4 日から 31 日までのおよそ 1 カ月間，注文を受けた全商品を 60 秒以内で提供するキャンペーン「ENJOY! 60 秒サービス」を全国で実施した。支払い終了後，受け渡しまでの時間が 1 分を超えた場合はハンバーガー類の無料交換券を渡すというイベントで，ゲーム感覚で集客し，商品提供のスピードアップと合わせて売上増を狙うという意図があった。

　マクドナルドの店舗では，製造から販売まで分業が確立している。しかし，このときは通常 3 分前後で商品を提供するところを 60 秒としたため，一部でマニュアル通りに作業が行われず，ネットを中心に商品のつくりが雑になったとの批判が巻き起こった。このため 1 月 8 日には日本マクドナルド本社から各店舗に「正しいオペレーションで基準の完成品を提供するように，再確認してください」との指示も出されたという。まさに「調整」の失敗である。結局，この月の既存店売上高は前年同月比 17 ％減となった（『日本経済新聞』2012 年 12 月 21 日，『日経 MJ』2012 年 12 月 24 日；2013 年 1 月 25 日，『週刊東洋経済』2013 年 2 月 16 日号）。

整の必要性は減り，予定された通りの成果が得られることになる。

　しかし，物事は常に予定通り・想定通りに進むとは限らない。そこで予定外・想定外の事態が発生したときに調整する仕組みが必要になってくる。それが**階層制**である。予定外・想定外の事態が発生した際に判断を下す管理者を，上位に設定しておくということである。

　分業化した部門間，たとえば生産部門と販売部門の間の調整は，**水平関係の設定**によりなされる。それには部門間の担当者が直接連絡を取り合って調整するという単純で日常的なものから，後述するマトリクス組織のような複雑で特殊なものまで，さまざまなレベルが考えられる。

　Column ⓭で紹介しているマクドナルドの「ENJOY! 60 秒サービス」では，顧客に商品を提供するまでの時間にゆとりがなかったことに起因して混乱が生じた。マニュアル自体が現実的ではなかったという標準化の失敗，管理者が想定外の事態を収拾することができなかったという階層制の失敗，そして，販売促進を担う部門と店舗との間での水平的な調整の失敗の事例と見ることができ

よう。

このように考えると，企業が組織構造を決める際には，どのような仕事の切り方で分業していくのか，どの程度まで分業するのか，それをどのような方法で調整していくのかが重要になってくることがわかる。次節以降，そうしたことを意識して企業における組織構造の実際を見ていくことにしよう。

3 組織構造の実際(1)　　▶職能制（機能別）組織

最も単純な組織構造は，企業内において同様の機能を持つ仕事群，つまり職能ごとの分業体制をとった，**職能制（機能別）組織**である。具体的な職能には，直接的に企業の売上にかかわる購買，生産，販売，研究開発などや，そうした職能をサポートする人事，総務，経理，企画，広報などがあり，そうした職能部門ごとに組織が分けられるのである。前者の職能部門のことを**ライン部門**あるいは直接部門と呼び，後者の職能部門のことを**スタッフ部門**あるいは間接部門と呼ぶ（図4.1）。

中小企業などのように単一事業を営み多角化（▶第6章）していない企業は，ライン部門とスタッフ部門を単純に組み合わせた職能制（機能別）組織をとることが多い。

たとえば，図4.2は千葉県北西部で都市ガスなどのエネルギーの供給・販売

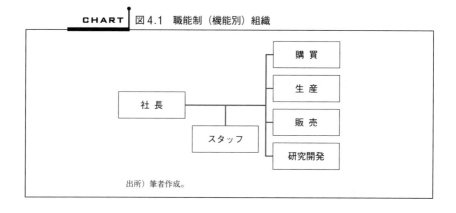

CHART 図4.1　職能制（機能別）組織

出所）筆者作成。

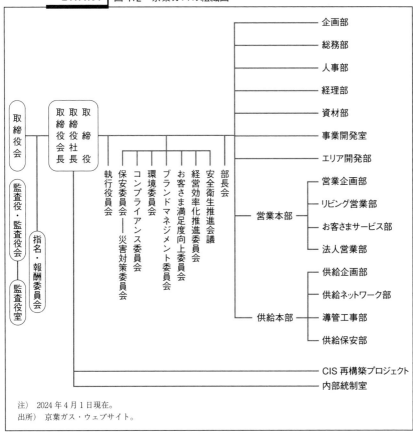

図4.2 京葉ガスの組織図

注) 2024年4月1日現在。
出所) 京葉ガス・ウェブサイト。

という単一事業を展開する京葉ガスの組織図である。職能制（機能別）組織が採用されていることがわかる。図中の供給本部と営業本部がライン部門であり、企画部、総務部、人事部、経理部などそれ以外の部門がスタッフ部門である。

図4.3はホンダの自動車・オートバイ用のシートやドアトリム等の内装部品を製造しているテイ・エス テックの組織図である。テイ・エス テックも単一事業であるため、京葉ガスと同様に、職能制（機能別）組織が採用されている。図中の営業・購買本部、開発・技術本部、生産本部、品質本部がライン部門であり、管理本部、事業管理本部、業務監査部と、埼玉、浜松、鈴鹿の各工場の管理部がスタッフ部門にあたる。

職能制（機能別）組織のメリットとして、①専門化の利益が享受できる、②

CHART 図4.3 テイ・エス テックの組織図

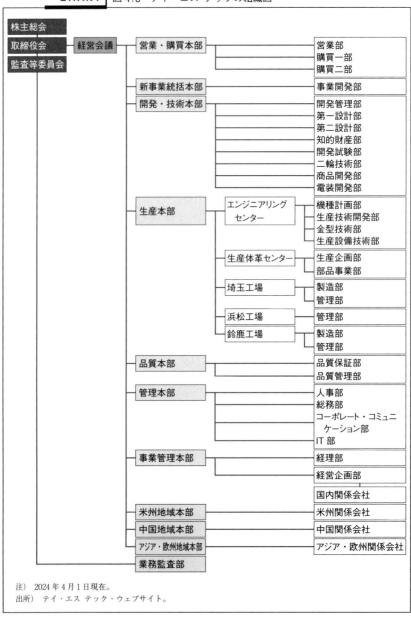

注) 2024年4月1日現在。
出所) テイ・エス テック・ウェブサイト。

規模の経済性（◉第6章）が得られる，③中央集権的（一元的）管理が可能とな

る，④部門管理者の専門知識・技能が活用できる，という4点をあげることができる。

　第1の専門化の利益については，すでに第②節で述べた通りである。第2の規模の経済性は，生産，販売，研究開発などが，それぞれの機能ごとに，1つの部門に集約されることによって，経営資源（▶第6章）の集中的な活用が可能になることから生じる。第3の中央集権的（一元的）管理については，職能制（機能別）組織では部門間の調整を社長などトップが行うことになるので，必然的に中央集権的ないし一元的な管理が行われることになるということを意味している。第4の部門管理者の専門知識・技能の活用は，生産，販売，研究開発などの部門の長には，当然ながらその部門での経験を有する者が任命されるのが一般的であるため，そうした部門管理者がそれまでに蓄積してきた専門知識や技能が部門内での判断や指示命令の際に大いに活かされることを指している。

　職能制（機能別）組織にもデメリットは存在する。第1に，職能ごとに組織が分化しているため，どの部署が最も売上に貢献しているのか評価するのが難しいということである。第2に，組織の規模が大きくなると部門間調整を担うトップ・マネジメントの負担が大きくなってくるということである。第3に，製品の多様化や事業の多角化が進んでいる企業の場合，トップ・マネジメントが製品や事業ごとに異なる市場や技術に関する情報を理解し意思決定していくのが難しくなるということである。そして第4に，部門管理者はその部門の専門家であるがゆえに全社的な視点を持ちにくく，結果として次世代のトップ・マネジメントの育成が難しくなるという問題も出てくる。

　したがって，本節の冒頭でも述べたように，職能制（機能別）組織は小規模な組織の中小企業や単一事業を展開する企業で採用されることが多くなる。

 組織構造の実際(2)　　　▶事業部制組織

　企業規模が拡大し，製品の多様化や事業の多角化・国際化が進んでくると，前節で見たような職能制（機能別）組織のデメリットが顕著になってくる。そこで登場するのが事業部制組織である。**事業部制組織**は，トップ・マネジメン

CHART 図4.4 事業部制組織

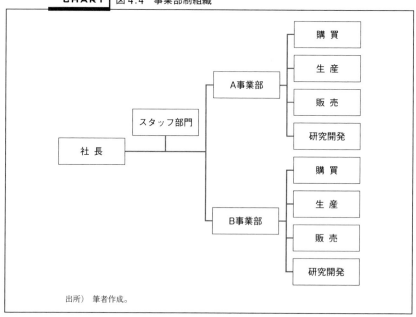

出所）筆者作成。

トのもとに事業部という自律的な組織ユニットが編成され，そうした複数の事業部によって構成される組織のことをいう。各事業部には，購買，生産，販売，研究開発といった職能に関する権限が与えられる。また，人事，総務，経理，企画，広報などのスタッフ部門は，全事業部に共通の部門として，事業部とは別に設定される（図4.4）。このため，事業部制組織を採用する企業では，スタッフ部門が共通部門と呼ばれているケースもある。事業部は，製品や地域，顧客ごとに括られる。たとえば，製品別であれば酒類，清涼飲料，食品など，地域別であれば東日本，西日本，海外など，顧客別であれば個人，法人などである。

　事業部制組織は１つの独立した企業（職能制組織）を組み合わせた組織と見ることもできる。したがって，事業部は**プロフィット・センター**[09]と呼ばれるこ

glossary

09　プロフィット・センター　企業内に設定された独立採算的な単位のこと。トップ・マネジメントから事業に関する責任と権限が委譲されているため，製品・サービスの生産・販売などをはじめとする事業活動内容を決定し，遂行することができる。したがって，この単位ごとに利益計算が可能となる。事業部制組織における事業部や，社内カンパニーなどがこれにあたる。

CHART 図4.5 双日の組織図

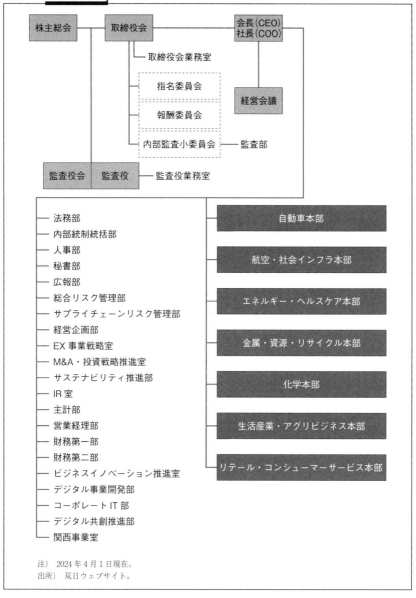

注) 2024年4月1日現在。
出所) 双日ウェブサイト。

ともある。
　図4.5は総合商社の双日の組織図である。図中で「〇〇本部」となっている

組織ユニットが，ここでいう事業部に相当する。総合商社は取り扱う製品・サービスが多岐にわたるので，自動車本部，化学本部，生活産業・アグリビジネス本部というように，製品別に事業部が編成されていることがわかる。自動車本部の仕入れ先や販売先と，化学本部の仕入れ先や販売先，生活産業・アグリビジネス本部の仕入れ先や販売先が大きく異なることは，容易に想像できるだろう。また当然ながら，市場を取り巻く環境もそれぞれの事業分野ごとに異なる。したがって，このような場合，製品・サービスごとに仕事を切り分けて組織をまとめるほうが効率がよいのである。

　事業部制組織には，①各事業部がプロフィット・センターとして完結しているので，事業ごとの利益計算が容易である，②職能部門間の調整を行うトップの負担が減り，長期的意思決定に専念することができる，③各製品・市場における業務活動の迅速な対応が可能となる，④事業部の長である事業部長が事業全体を統括するため，そのことが結果として次世代のトップ・マネジメントとしてのトレーニングになる，といったメリットがある。

　他方で，デメリットも存在する。第1に，事業部間に組織上・業務上の重複資源が発生する可能性がある。職能制（機能別）組織であれば1つで済んだ設備が事業部ごとに必要になるという二重投資の問題などがこれにあたる。第2に，ひとたび製品や市場ごとに事業部が編成されると，再編成が容易ではなくなる。環境が変化し，以前は意味のあった事業部が事業部として成り立たなくなりつつある場合でも，そうした事業部を解体して再編成することはそれほど簡単ではないのである。また，既存の事業部のいずれにもあてはまらないような新規事業の扱いも難しくなる。第3に，事業部の独立性が強くなると，逆に全社的な統一性の確保が困難になる可能性が出てくる。事業部ごとに縦割り組織化してしまい，事業部間の連携がとれなくなるといったことが考えられるのである。第4に，プロフィット・センターとしての性格が強調されると，事業部長の視野が短期的になる可能性がある。たとえば，トップ・マネジメントか

glossary

10　総合商社　多種多様な製品・サービスの輸出入や国内での販売，資源開発，金融，投資など，幅広い事業範囲を擁する日本特有の巨大商社のことをいう。特定の分野に特化した専門商社と対比する意味で，総合商社と呼ばれる。三菱商事，三井物産，伊藤忠商事，丸紅，住友商事，豊田通商，双日がこれにあたる。

ら事業部の年度目標達成（予算必達 ▶序章Column❶）へのプレッシャーが高まれば，中長期的な課題は後回しにして，その年度内に結果が出ることに集中してしまうことは十分考えられる。

しかしながら，こうしたデメリットは存在するものの，その効率性の高さから，日本の大企業の多くは事業部制組織もしくはそれを若干アレンジした組織を採用している。

5　組織構造の実際(3)
▶ プロジェクト・チームとマトリクス組織

大企業の多くで採用されている事業部制組織のデメリットを解消するため，組織においてさまざまな調整の仕組みが考えられている。その代表的なものが，プロジェクト・チームとマトリクス組織である。

プロジェクト・チームとは，新規事業，あるいは新しい人事や経理などの制度といった，企業の将来にかかわる戦略的な課題を検討するための組織で，ある一定期間，社内外のさまざまな部署から必要な人材を集めて結成される。事業部制組織のデメリットとして述べたように，新規事業や新たな制度は既存の事業部で検討することが難しいため，このような形態の組織がつくられるのである。

以下の新聞記事にあるように，タリーズコーヒージャパンが紅茶を中心に据えた新業態を立ち上げた際にも，親会社である伊藤園の従業員を含むプロジェクト・チームが編成されている。

タリーズ──超激戦区，紅茶で勝ち抜く
　　　　横浜・元町で新型カフェ　商品開発から教育，半年で
　タリーズコーヒージャパンが10月に横浜市に開いた「タリーズコーヒー＆ TEA」の1号店が人気を集めている。紅茶を中心にした新型カフェで，紅茶に合う食事や甘味もそろえた…（中略）…17年春に物件を確保すると内田さんの頭を悩ませたのが店舗のコンセプトづくり。どうすれば競合のコーヒーチェーンとの違いを出せるか。着目したのが紅茶だった。
　タリーズは親会社の伊藤園からティーテイスターの本間代子さんを招き，14年に

5　組織構造の実際(3)　●91

Column ⓮　クボタのKSAS

クボタは，農業機械に最先端技術とICTを融合させた営農支援システム「クボタスマートアグリシステム」（KSAS）のサービスを，2014年6月に開始した。

KSASは，KSAS対応農機，水田での作業確認や情報の送受信を担うKSASモバイル，KSASクラウド環境の3要素で構成され，田植え機やトラクター，コンバインに備えたセンサーを使って収集される収量・食味データ，機械稼働情報，農作業者がKSASモバイルで記録した作業実績情報などのデータをもとに，翌年の農薬や肥料の散布の時期や量を水田ごとに自動で設定し，制御するというシステムである。

開発に必要な技術は，田植え機，トラクター，コンバインの3事業部，センサー，無線通信，情報システムの3開発部門，販売会社に技術指導をする機械サービス本部と，7部門に関係した。このため，7部門から100名を超える人材が集められ，大規模なプロジェクト・チームが編成された。

プロジェクト・リーダーの長網宏尚氏は，このような大規模なプロジェクト・チームが機能したのには，入社年次や部門に関係なくワイワイガヤガヤ自由に話す場，いわゆるワイガヤの存在が大きかったと指摘している。当初，難しかったさまざまな部門との調整が，これによってスムーズになったのだという。プロジェクト・チームによって組織の調整がうまくいった事例である（宮地・長網・京田［2014］，『日経産業新聞』2016年1月12日，みんなの農業広場ウェブサイト）。

プロジェクトチームを立ち上げ紅茶商品の開発を進めていた。プロジェクトチームのメンバーでドリンク開発グループのグループ長，若林教二さん（42）は紅茶の産地を訪ねるなどして品質の高い茶葉を集める役割を担ってきた。2人のコンビでミルクティーなどの新メニューを開発し，女性を中心にコーヒーが苦手な客を取り込んできた。

――――『日経産業新聞』2017年12月20日

農業機械を製造・販売しているクボタが，地理情報システム（GIS）等の情報通信技術（ICT）を活用した農作業の支援サービス「クボタスマートアグリシステム」（KSAS）を開発した際にも，大規模なプロジェクト・チームが設置されている（Column ⓮）。

このような一時的な組織であるプロジェクト・チームとは違い，**マトリクス**

CHART 図4.6 マトリクス組織

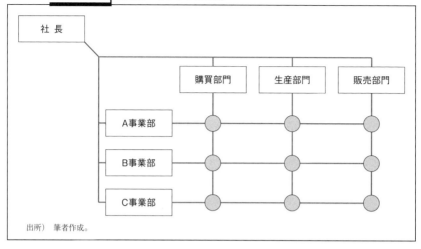

出所）筆者作成。

組織は常設の組織構造である。典型的には，事業分野と職能分野という2つの軸を両方組み込んで編成された組織をいう。図4.6は，マトリクス組織のイメージである。事業部制組織と職能制（機能別）組織を組み合わせた構造を持っていることがわかるだろう。

図4.6でいえば，組織のメンバーは事業部長の指揮命令下に置かれるとともに，職能部門長の指揮命令下にも置かれる。すなわち，市場のニーズに対する柔軟な対応を目指しながら，職能分野については全社統一的な視点を持ちつつ専門化の利益を狙う組織構造だといえよう。

しかし，これだと上司が2人存在することになるため，どちらの指示に従えばよいのかについて混乱が生じる可能性がある。したがって，どちらかの上司の権限がより大きく設定されていたり，必要に応じてどちらかの上司の権限を大きくするという調整が行われるなどの工夫が必要となる。とはいえ，現実的にはそれほどうまく調整がつかないケースも見られる（Column ⓯）。

これまで見てきたように，分業と調整の組み合わせである組織構造自体に唯一絶対の正解が存在するわけではない。したがって，企業を取り巻く環境の変化や自社の特性などを踏まえながら，より効率のよい組織構造が選択されるのである。

5　組織構造の実際(3)

Column ⓫ カルビーの組織変革

　2010年1月，カルビーは大幅な組織変更を実施した。それまでのカルビーは，地域と製品の2軸からなるマトリクス組織を採用していた。具体的には，地域を統括する地域カンパニーが地域の状況に応じて営業と生産を分権的に管理し，商品カンパニーがそれとは別に商品開発やマーケティングなどを担い，全社的に商品の種類や開発コストが増大しないよう管理するという構造であった。

　しかし，利益責任が地域カンパニーと商品カンパニーの両方に課されていたため，結果的にどちらも責任をとらなくなり，さまざまな課題についても双方ともに解決に取り組もうとしない状況になってしまった。

　そこでカルビーは，地域カンパニーと商品カンパニーを廃止し，4つの地域事業本部とマーケティング本部からなる事業部制に，組織を変更した（下図）。地域の営業を地域事業本部が，各商品群の商品開発をマーケティング本部が，それぞれ担うように整理し，責任の明確化を図ったのである（『日経産業新聞』2009年12月25日，『日経ビジネス』2013年9月16日号，『日経トップリーダー』2017年8月号）。

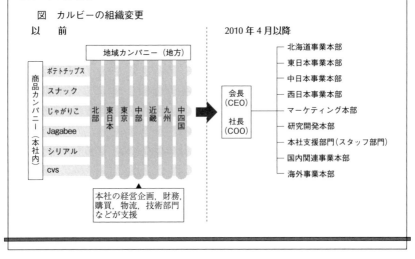

図　カルビーの組織変更

EXERCISE

① 自らが所属している（していた）クラブ・サークルやアルバイト先などの組織

を取り上げて組織図を作成し，その組織はどのような分業体制がとられているのか，どのように調整されているのかを考えてみよう。

② 新聞記事データベース（日経テレコンなど），雑誌記事データベース（日経BP記事検索サービスなど）を用いて，プロジェクト・チームの事例を見つけ，その目的・成果をまとめてみよう。

読書案内 ‖ Bookguide ●

金井壽宏［1999］『経営組織』日本経済新聞社。

　本章で述べた組織や組織構造について，コンパクトかつ網羅的にまとめている。

沼上幹［2004］『組織デザイン』日本経済新聞社。

　とくに組織構造に関して，詳細に述べられている。内容はやや難しいが，本章に目を通したあとであれば，その先にある発展的な議論を理解することができる。

動画資料 ‖ Movieguide ●

チャールズ・チャップリン監督「モダン・タイムス」（1936年，85分）

　チャールズ・チャップリンが監督と主演を務めるコメディで，チャップリンの代表作の1つとされる。人間が時計に支配され，労働者が機械の一部のように扱われている資本主義社会への痛烈な風刺だといわれている。

黒澤明監督「七人の侍」（1954年，207分）

　戦国時代末期の貧しい山村を舞台に，盗賊と化した野武士に立ち向かうべく農民に雇われた侍たちの闘いを描いた作品。侍を集め，戦闘の準備をし，野武士と戦うという一連の流れは，組織論として見てもおもしろい。

動画資料 ● 95

CHAPTER

第 5 章

日本型企業組織

QUESTION
　日本企業の組織のあり方は，諸外国のそれと比べてどのような特徴があるのだろうか？　就職すると，どのような人事システムのもとで働くことになるのだろうか？

時事通信フォト

　日本のメガバンクに総合職として入社すると，1年目の年収は400万円程度だが，外資系の銀行だとその倍以上の年収が得られる。ただし，外資系企業には，日本企業では当たり前の住宅手当や退職金の制度がない場合が多い。じつは，日本企業と外国企業の経営スタイルはかなり異なっているのである。日本企業特有の経営スタイルは，日本的経営ないしは日本型経営と呼ばれる。本章ではとくに人事の面に焦点を当て，日本の企業組織の実態を説明していく。

KEYWORD

日本的経営　　終身雇用　　年功制　　企業内組合　　ジャス
ト・イン・タイム　　カイゼン　　新卒一括採用　　職務概念　　職務記述書
Off-JT　　OJT　　人事異動　　レイオフ　　総合職　　一般職　　職能資格制
度　　人事考課　　職能給　　出向　　転籍　　早期退職優遇制度

1　日本的経営

　章扉でも触れたが，日本企業の経営スタイルと外国企業の経営スタイルはか
なり異なっている。日本企業特有の経営システムは，**日本的経営**あるいは日本
型経営と呼ばれる。一般に，日本的経営は「**終身雇用**」「**年功制**[11]」「**企業内組
合**」という企業内の人事慣行を指すものと理解されることが多い。これらは日
本的経営の「三種の神器」などとも称される。しかし，これ以外にも生産上の
特徴であるジャスト・イン・タイム[12]や従業員の小集団活動による「**カイゼン**[13]」，
企業間関係の特徴である企業集団，企業系列なども，日本企業特有のものとさ
れている。

　そもそも日本的経営は，ジェームズ・アベグレンが 1958 年に著した『日本

glossary

11　終身雇用と年功制　　終身雇用とは，新卒で入社した従業員を定年まで雇い続けるとい
う雇用慣行のこと。「終身」とはいうものの，一般に定年制が設けられていることから，「長
期継続雇用」がより正確な言い方といえる。
　一方の年功制は，一般に勤続年数や年齢が増すに従って地位や賃金が上がることを指す。
毎年一定の時期（通常 4 月）に賃金が昇給する，定期昇給制度を含んだものとして理解さ
れることが多い。

12　ジャスト・イン・タイム（just in time）　　必要なものを，必要なときに，必要な量だけ
生産・調達する生産管理手法。余分な在庫をなくし，生産コストの削減を目指す。トヨタ自
動車の生産方式（トヨタ生産方式 ◉第 **7** 章 Column ㉒）の代表的な要素として知られてい
る。製造業のみならず物流業や小売業にも，この手法が導入されている。

13　カイゼン（改善）　　製造業の生産現場で作業者が中心となって行う継続的な作業見直し
活動のこと。トップダウンではなく，作業者が知恵を出し合い，創意工夫しながら，全員参
加で作業効率・品質・安全性の向上を図っていく。現在は生産現場だけでなく管理部門やサ
ービス業にも導入されている。海外でも通用する言葉であり，kaizen と表記される。

98 ● CHAPTER 5　日本型企業組織

の経営』で注目されるようになった。アベグレンは，当時，非欧米諸国で唯一工業化を達成した日本の成功の秘密を明らかにするために，1年以上にわたって日本企業を調査し，その結果を同書にまとめた。その中で日本の「終身雇用」が強調され，その原則のもとで「年功制」「企業内組合」などの諸制度が成り立っていることが示されたのである。アベグレン自身はこれ以外にも，福利厚生が手厚いことや中小企業では転職が一般的なことなども特徴として指摘していたのだが，象徴的な「三種の神器」が日本的経営として人々の印象に残ったのだろう。その後，日本的経営＝「終身雇用」「年功制」「企業内組合」という理解が定着していった。

　高度経済成長期以降，とくに1970年代から1980年代にかけては，日本的経営を礼賛するような傾向が強まった。たとえば，エズラ・ヴォーゲルは1979年に『ジャパンアズナンバーワン』を出版，戦後の日本経済の高度経済成長の要因を分析し，日本的経営を評価した。ウィリアム・オオウチも1981年に『セオリーＺ──日本に学び，日本を超える』を著し，アメリカで成功している企業は典型的なアメリカ型企業（Ａタイプ）ではなく，終身雇用，人に対する全面的なかかわりなど日本型企業（Ｊタイプ）の特徴を兼ね備えた企業であることを指摘し，そうした企業を「Ｚタイプ」と類型化した。

　しかし，バブル経済崩壊後，日本的経営に対する評価は一変した。景気の低迷を受け，日本的経営の見直しがさかんに論議された。次の新聞記事は，日本的経営の「崩壊」について論じたものである。当時，日本的経営が企業業績悪化の根本原因だというような認識が強まっていたことがわかる。

揺れる経営「三種の神器」　主要450社トップアンケート（企業の興亡）

　年功序列は廃止し，ホワイトカラーを合理化の対象として狙い，収益を改善させる。円高によって海外展開は一層拍車がかかり，国内の空洞化による雇用情勢の悪化は避けられない──。日本経済新聞社が東京証券取引所の一部上場会社を中心に450社のトップから回答を得たアンケートで，大企業がこんなシナリオを想定して経営を進めていることが明らかになった。平成不況を契機に，経営者は成長を支えてきた日本的経営の見直しを急ぎ，21世紀に向けて新たな経営の「三種の神器」を求め始めている。日本企業の経営は大きな転換期を迎えた。

――――『日経産業新聞』1993年5月17日

この記事でも，冒頭で年功制と終身雇用が問題にされている。これは日本的経営＝「三種の神器」ということを暗黙の前提とする議論であり，話題にあがることが少ない企業内組合は別にして，終身雇用と年功制の見直しをもって日本的経営の変容と理解しているように思える。しかし，日本企業には本当に，**glossary 11** で説明したような，定年まで雇用が保障され，勤続年数，年齢が増すごとに地位と賃金が上がるといった，単純な人事慣行があったのだろうか。仮に，定年まで雇用が保障され，勤続年数や年齢が増すだけで昇給・昇進していくのであれば，そのような会社で真剣に働く者はどれほど存在するであろうか。だとすれば，そもそも終身雇用と年功制をどのようなものとして捉えればよいのだろうか。

以下では，こうした疑問に答えるために，日本型人事システムの実際について，採用から退職までの流れに沿って見ていくことにしよう。

② 採　　用

日本では，大学生活も中盤になると，多くの学生が就職のことを気にするようになる。近年では，大学 3 年次の中ごろから大学 4 年次の前半にかけて，学生がいっせいに就職活動を行うという傾向が定着している。

次の新聞記事は，2025 年新卒者向けの採用活動解禁を伝えるものである。政府は企業に対して 3 月 1 日からの採用広報解禁という指針を示しているが，すでに 7 割超の学生が企業の選考を受け，3 割超が内定を得ているなど，実質的な採用活動はとうに佳境を迎えていることが報じられている。こうした形式と実体の乖離は激しく，毎年のように採用活動解禁日をいつにするか，あるいは「就職活動ルール」を廃止すべきではないかという議論が沸騰してきた。2018 年経団連は，それまで長く通例だった，経団連が就職活動の時期を決める「就職活動ルール」廃止を決めた。それを受けて 2021 年春入社以降の学生には政府が「就職・採用活動日程に関する考え方」を示し，就職活動ルール主導を引き継ぐようになったが，2025 年卒の学生から採用直結型インターンシップが認められるようになったこともあり，実効性は薄い。

100 ● CHAPTER **5** 日本型企業組織

就活解禁，内定はや3割超　人手不足で採用早まる　バイトの正社員登用も

　2025年春に卒業予定の大学生・大学院生を対象とした採用広報が3月1日に解禁された。人手不足が深刻になり，採用活動が早まっている。民間調査によると，すでに学生の7割超が企業の選考を受けている。優秀な人材を取り込もうとローソンがアルバイトとして働く学生の正社員への登用を拡大する。従来の手法にとらわれない企業も目立ってきた。

　（中略）

　政府は原則として企業の広報活動を3月1日，面接などの選考活動を6月1日に解禁する就職活動のルールを定めている。しかし，深刻な人手不足を背景に優秀な人材を確保しようと採用活動を早める企業は多い。

　就職情報大手のディスコ（東京・文京）のモニター学生を対象にしたアンケート調査によると，25年卒は2月1日時点ですでに71.3％が「本選考を受けた」と回答し，24年卒に比べ3.1ポイント増えた。

　内定率も33.8％と24年卒を10ポイント上回った。ただ，現時点で就活を終了した学生は5.7％にとどまる。企業側は就職先を見極めている学生を呼び込もうと知恵を絞る。

──────『日本経済新聞』2024年3月2日

　この記事にあるように，新卒者がいっせいに就職活動を行う（企業側からすれば採用活動を行う）ような採用の方法を，**新卒一括採用**と呼ぶ。日本人にとっては当然のことだが，これは日本企業の人事システムにおける特徴の1つである。中途採用を拡大する動きも出てきてはいるが，日本では現在も新卒一括採用が主流である。

　アメリカをはじめとする諸外国の大学生の就職活動は，こうした日本の方式とは大きく異なる。アメリカには新卒一括採用がなく，欠員が出た場合にその職務の適任者を補充する。採用するのはあくまでも適任者であって，そこに新卒者と経験者の区別はないが，専門的な知識と実務経験が採用の前提になる。そのため新卒者にとっては，大学で専門分野について優秀な成績を収めること，そしてインターンシップで職業経験を積むことが重要になる。したがって，多くの大学生が長期のインターンシップに参加し，職業経験を積んでいる（海老原［2018］）。

　日米で採用方式が異なることの背景には，企業内での**職務概念**と組織編成の

2　採　用　●　101

CHART 図 5.1 日米における職務概念と組織編成

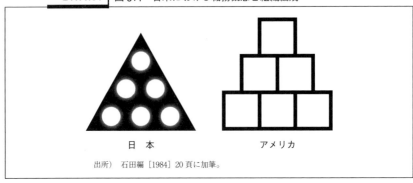

出所) 石田編［1984］20 頁に加筆。

あり方の違いがかかわっている。両者の違いは図 5.1 のように示される。左図の○および右図の□の中の白い部分は，特定の個人の職務の明確な領域を，両図とも黒い部分は誰の職務かが曖昧な領域を示している。日本型は黒い領域が多く，アメリカ型は黒い領域が少ないことがわかる。

アメリカなど諸外国の企業では，組織内で個人が分担する仕事の内容や，必要な学歴・職務経験，権限，責任は，**職務記述書**に明確に規定されている。そのため，前述のように，大学生の就職活動においても専門的な知識と実務経験が重要になる。

一方，日本企業では，職務記述書の記述が抽象的である上に，そもそもそれ自体を目にすることが少ない。職場においては，状況に応じて，仕事の分担を弾力的に変更することや他のメンバーと仕事を補完し合うことが求められる。また，後述するように，日本企業では数年に 1 度，人事異動が行われる。つまり，日本企業では誰がどのような仕事を担うのかは明確ではない。このため，新入社員，とりわけ事務系総合職（いわゆる文系大卒）は，新入社員研修が終わって配属先が発表になるまで，自分がどのような職務を担うのかわからないことが一般的である。したがって，組織内の他のメンバーと協調する力やコミュニケーション能力，入社後の成長可能性を見て，採用活動が行われるのである（Column ⓰）。

> **Column ⓰　大手食品メーカーの2025年4月入社の新卒採用募集内容**
>
> 　ある大手食品メーカーでは，総合職を大きく事務系，研究・製造系，エンジニアリング系に分けて，新卒者の募集が行われている。
> 　事務系の募集対象学部は全学部・全学科，募集職種は営業，営業企画，経理，人事，法務ほかとなっていて，大学時代の専攻と職種がとくにリンクしていないことがわかる。
> 　研究・製造系の募集対象学部は農学系，生物系，化学系など理工系全学部・全学科で，募集職種は製造技術研究，商品開発，食品・酵素等研究ほか，エンジニアリング系の募集対象学部は同様に理工系全学部・全学科で，募集職種はプラントエンジニアリング（プラント建設，管理），プロセスエンジニアリング（プロセス研究開発）となっている。技術系は事務系よりも専門性が高いため，実際には大学時代の専攻が問われる。しかし，具体的な配属先や仕事は特定化されておらず，入社数年後には事務系も含めて人事異動の可能性がある。
> 　事務系，技術系を問わず，求める人物像として「仕事における高度な能力をもっていること」「能力を発揮して自律的に行動し，成果に結びつけること」「社内外のニーズを満たし，市場に価値を与えること」ができる者としている（キッコーマン・ウェブサイト）。

3　教育研修と人事異動

　上述のように，日本企業は職務概念が曖昧であるため，即戦力としての職務遂行能力を持たない新卒者を採用する。したがって，入社後の教育研修はとくに重要になる。

　一般に，入社式の後，新入社員には研修施設などで数日から数週間にわたる集合研修が課せられる。そこではビジネスマナー，自社の沿革，業務内容，人事制度，コンプライアンスなどが教育される。こうした職場以外での研修は，Off-JT（off-the-job training）と呼ばれる。その後，工場実習や店舗実習などの現場研修が行われ，配属された後は先輩社員の指導のもとで仕事を進めていく。このような職場における実地的な研修はOJT（on-the-job training）と呼ばれる。

Column ⓱　総合職と一般職

　1986年に男女雇用機会均等法が施行された。同法は募集・採用，配置・昇進についての男女均等な取り扱いを努力義務と定め，教育訓練，福利厚生，定年・退職，解雇についての女性差別を禁止した。

　同法施行により，男性が基幹業務，女性が定型業務・補助業務を担うという考え方が認められなくなったため，日本の大企業では総合職，一般職という従業員の区分が定着した（コース別人事制度）。総合職は基幹業務を担い，昇進に限定がないが全国転勤がある。一般職は定型業務・補助業務を担い，昇進に限定があるが転勤がない。近年，両者の中間形態の限定総合職を置く企業も出てきた。

　コース別人事制度は男女雇用機会均等法施行をきっかけに生まれたが，現在でも男性は総合職の割合が多く，女性は一般職の割合が多い（下図）。

図　正規従業員における男女別職種割合

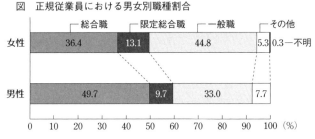

注）職種については，コース別雇用管理制度の有無にかかわらず，実質的に近い職種。
出所）厚生労働省「令和4年度 雇用均等基本調査」。

　研修は新入社員だけが受けるものではない。経営陣も含めてすべての従業員が計画的に多様な研修を受ける。研修は階層別・目的別に分かれているほか，自己啓発の支援なども含まれている。日本企業はこのような研修体系を整備して，退職まで教育研修を行うのである。

　職務内容と範囲の曖昧さは，定期的な**人事異動**とも関連している。

　人事異動には，たとえば，本社の総務から工場の総務へというような同一部門内での勤務地の変更を伴う異動，総務から人事へ，営業から商品企画へといった部門を超えた異動，本社の購買から支店の営業へというような部門と勤務地の変更を伴う異動がある。いわゆる転勤とは勤務地の変更を伴う異動を指す。

職場内での業務担当の変更も人事異動の一種だが，一般にそうしたケースは配置換えなどといわれることが多い。

人事異動は，①適材適所といわれるような従業員の適性の発見，②仕事の幅を広げたり，レベルの高い仕事を経験させることによる職務遂行能力の開発，③異なる部門間での人的交流の促進，④仕事量のアンバランスの調整，⑤組織統廃合への対応を目的として行われる（佐藤・藤村・八代［2015］）。このうち①と②は教育研修と相まって人材育成の根幹をなしている。③は部門を越えた仕事上の協力関係・相互補完関係の構築に貢献する。④と⑤は，状況に応じた柔軟な人材活用を可能にする。欧米などの諸外国では，その職務がなくなれば契約に従って解雇されるのが一般的である。またアメリカでは，不況や業績悪化の際に**レイオフ**[14]が行われることも多い。しかし，職務内容と範囲が曖昧で人事異動が一般的な日本では，余剰人員の吸収が企業内で比較的容易に可能となる。

日本企業では従業員を，大卒者を想定した**総合職**，短大卒・高卒などを想定した**一般職**，高卒で現場の作業を担当する技能職，特定の技術を持つ専門職に分けることが多い（**Column ⑰**）。このうち，広範な人事異動の対象となるのは総合職である。一般職，技能職，専門職については，転勤を伴わない同一部門内での異動や職場内でのローテーションが多い。このため，総合職には経営層まで昇進できる可能性があるが，一般職，技能職，専門職には昇進の上限が定められていることが一般的である。

4 職能資格制度と役職，賃金

日本企業では，従業員は計画的な教育研修と定期的な人事異動のもとでその能力が開発され，昇進や昇給を果たしていく。そうした諸要素を支える仕組み

glossary

---

14 レイオフ（layoff） 不況や業績悪化の際に，余剰人員を景気や業績の回復後に再雇用するという条件のもと，一時的に解雇する制度のことをいう。勤続年数が短い者から解雇され，長い者から優先的に再雇用される。
　ただし近年では，業績回復後の再雇用を前提としない解雇の意味でも用いられるようになってきている。

CHART 表5.1 職能資格制度のイメージ

職能資格	必要滞留年数		職能要件
	総合職	一般職	
経営職3級	—		部門戦略を策定し，部門全体の業績を高めることができる
経営職2級	5年		経営目標を理解した上で企画立案し，高い業績を出すことができる
経営職1級	5年	なし	経営目標を理解した上で企画立案ができる
基幹職3級	4年		他部門と連携しながら基幹業務を遂行するとともに，目標を与えながら部下の指導，管理ができる
基幹職2級	4年		基幹業務を遂行するとともに，部下の指導，管理ができる
基幹職1級	4年	—	基幹業務を遂行するとともに，部下の支援ができる
業務職3級	3年	6年	難易度が中程度の業務を単独で遂行することができる
業務職2級	3年	6年	難易度が中程度の業務を周囲の協力を得ながら遂行することができる
業務職1級	なし	4年	指示に従い，難易度の低い業務を正確に遂行することができる

出所） 筆者作成。

に**職能資格制度**がある。

職能資格制度は，従業員を職務遂行能力に基づいてランク付けする日本独自の資格制度で，従業員にはそれぞれ職能資格（職能等級，資格等級ともいう）が付与される。この職能資格を基準にして職位や賃金が決定される。職能資格制度の原型は1969年に日本経営者団体連盟（日経連，現在の経団連）によって提唱され，1970年代には日本の多くの大企業に普及した。

表5.1は職能資格制度のイメージである。職能要件とは，その職能資格に該当する者が保持していなければならないとされる職務遂行能力である。必要滞留年数とは，上位の資格に上がる（昇格）までに最低限経験しなければならない年数を意味する。このケースでは，総合職と一般職で異なる必要滞留年数が設定されていることがわかる。また，総合職は業務職1級を経験せず，業務職2級からスタートすること，一般職の昇格が基幹職1級を上限とすることが示されている。なお，職能資格の名称は企業によって異なる。

昇格に値する職能要件を満たしているかの確認は，上司や人事部による**人事考課**でなされる。人事考課は，職務遂行能力を見る能力評価，仕事に対する意欲や勤務態度を見る情意評価，仕事の成果を見る業績評価という3側面から行

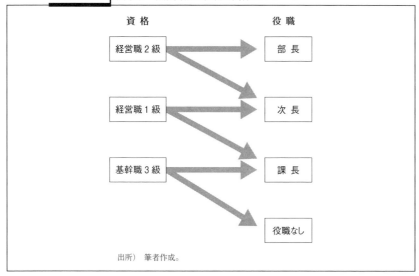

図5.2 職能資格と役職の関係のイメージ

出所）筆者作成。

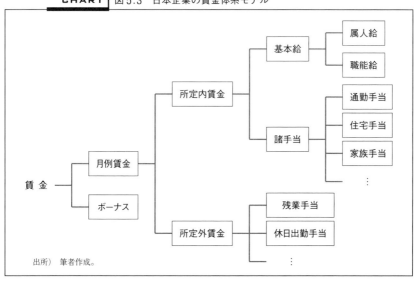

図5.3 日本企業の賃金体系モデル

出所）筆者作成。

われるのが一般的である。学期末の試験で評価される大学生とは違い，日々，職務遂行状況や態度，成果が上司や人事部に評価されているという意味では，学生時代よりも評価は厳しい。

CHART 表5.2 職能給表の例

（単位：円）

号俸	事務職							基幹職			経営職		
	1級	2級	3級	4級	5級	6級	7級	1級	2級	3級	1級	2級	3級
1	75,000	87,000	102,000	120,000	130,600	143,600	160,700	183,500	205,200	228,600	258,600	284,300	312,900
2	77,000	90,000	106,200	125,300	137,100	151,100	168,700	192,000	214,200	238,100	268,600	294,800	323,900
3	79,000	93,000	110,400	130,600	143,600	158,600	176,700	200,500	223,200	247,600	278,600	305,300	334,900
4	81,000	96,000	114,600	135,900	150,100	166,100	184,700	209,000	232,200	257,100	288,600	315,800	345,900
5	83,000	99,000	118,800	141,200	156,600	173,600	192,700	217,500	241,200	266,600	298,600	326,300	356,900
6	85,000	102,000	123,000	146,500	163,100	181,100	200,700	226,000	250,200	276,100	308,600	336,800	367,900
7	87,000	105,000	127,200	151,800	169,600	188,600	208,700	234,500	259,200	285,600	318,600	347,300	378,900
8	89,000	108,000	131,400	157,100	176,100	196,100	216,700	243,000	268,200	295,100	328,600	357,800	389,900
9	91,000	111,000	135,600	162,400	182,600	203,600	224,700	251,500	277,200	304,600	338,600	368,300	400,900
10	93,000	114,000	139,800	167,700	189,100	211,100	232,700	260,000	286,200	314,100	348,600	378,800	411,900
11	95,000	117,000	144,000	173,000	195,600	218,600	240,700	268,500	295,200	323,600	358,600	389,300	422,900
12				178,300	202,100	226,100	248,700	277,000	304,200	333,100	368,600	399,800	433,900
13				183,600	208,600	233,600	256,700	285,500	313,200	342,600	378,600	410,300	444,900
14								294,000	322,200	352,100	388,600	420,800	455,900
15								302,500	331,200	361,600	398,600	431,300	466,900
昇給額	2,000	3,000	4,200	5,300	6,500	7,500	8,000	8,500	9,000	9,500	10,000	10,500	11,000
初任格付け	中卒	高卒	短大・高専卒	大卒	大学院卒	対応する役職	主任	係長	課長代理	課長	次長	部長	事業部長

出所）佐藤・藤村・八代［2006］63頁を一部修正。

職能資格は，部長，課長，係長などといった役職とも結びついている。ある役職に昇進するためには，それに見合う職能資格を有している必要がある。図5.2は職能資格と役職の関係のイメージを示したものである。

ここで注目すべきは，職能資格から複数の役職に矢印が向いている点である。通常，企業内での役職の数は限られるため，必要な職能資格に昇格しても，その役職に昇進できないことがありうるからである。乗用車を1台しか所有していない家庭で，父親がその乗用車を通勤利用している場合，大学生の息子は普通自動車免許を持っていたとしても原付で大学まで通わなければならない，といった状況をイメージするとわかりやすいだろう。

職能資格制度は賃金とも連動している。一般に，日本企業の賃金体系は図

CHART 図5.4 ある企業における大卒同期のキャリア・ツリー

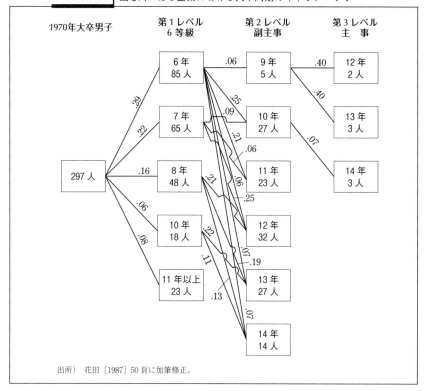

出所) 花田［1987］50頁に加筆修正。

5.3のようなイメージである。まず，毎月支給される月例賃金と，夏や冬に支給されるボーナスに分かれ，月例賃金は大きく，毎月定額の所定内賃金と月によって変動する所定外賃金の2つに分かれる。その上で，所定内賃金は基本給と諸手当に分かれ，基本給部分はさらに属人給と**職能給**に分かれる。属人給は，年齢給や勤続給と呼ばれる年功的要素に基づく賃金であり，同一年齢・同一勤続年数であれば原則として同額になる。他方の職能給は，職能資格と連動しており，同一年齢・同一勤続年数であったとしても，職能資格が異なれば支給額は異なる。

表5.2は職能給表の例を示したものである。職能資格ごとに支給額が定められていることがわかる。ここで号俸とあるのは，上からその職能資格の1年目の支給額，2年目の支給額という意味である。下から2行目の昇給額の欄にも示されている通り，職能資格が上がるほど毎年の昇給幅が大きくなっているこ

とがわかる。

　さて，このように見てくると，日本企業では職能資格制度における必要滞留年数の存在，賃金体系における属人給の存在と職能給における定期昇給部分の存在により，たしかに人事面の処遇には年功的要素が含まれることがわかる。しかしながら，これらの昇格・昇進，昇給は職能資格制度に基づいて管理されており，勤続年数や年齢が増すだけで一律に昇進・昇給していくといったような，牧歌的な世界が広がっているわけではないことも明らかである。

　図5.4は，ある企業に同期入社した者が，どのようにキャリアを重ねていったかを示したものである。この企業では，高度経済成長期の1970年に入社した大卒男子297人のうち，第1レベルとされる職能資格に最短の6年で昇格した者が85人，11年以上かかった者が23人，第3レベルとされる職能資格に最短の12年で昇格した者が2人，13年が3人，14年が3人であったことがわかる。また，残りの289人は第3レベルに昇格するのにそれ以上の年数を要しているか，そもそもそのレベルに昇格することなく退職しているということが示されている。以上より，日本企業においても昇格・昇進にはかなりの差があり，それに伴って昇給にも差がついていたことが見て取れる。

⑤　終身雇用の実態

　終身雇用は新卒で入社した会社で定年まで勤め上げることと理解されているが，一般にこれは大企業を想定した議論であるといわれる。中小企業では，大企業に比べて中途採用者の比率が高く離職者の比率も高いので，新卒で入社し，定年を迎える者の割合は相対的に低くなる。図5.5は，2017年度の企業規模別採用を示したものである。大企業では新卒採用の比率が高く，中小企業では中途採用の比率が高いことが見て取れる。他方，表5.3は新規大卒者の事業所規模別就職3年後の離職率の推移，表5.4は高度経済成長期の事業所規模別男性離職率の推移である。近年に限らず，高度経済成長期においても中小企業において離職率がより高くなっていることが，これらのデータからもわかるであろう。

110 ● CHAPTER 5　日本型企業組織

CHART 図 5.5　企業規模別新卒・中途採用実績比率（2017 年度）

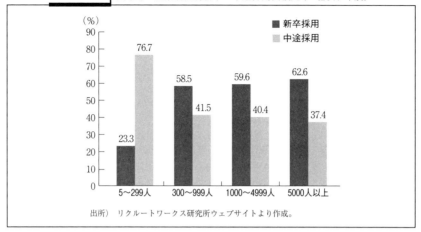

出所）リクルートワークス研究所ウェブサイトより作成。

CHART 表 5.3　卒業年別新規大卒者の事業所規模別就職 3 年後の離職率の推移

（単位：%）

規　模	2016 年	2017 年	2018 年	2019 年	2020 年	2021 年	2022 年
1000 人以上	25.0	26.5	24.7	25.3	26.1	18.9	8.1
500〜999 人	29.6	29.9	28.9	29.6	30.7	22.9	10.2
30〜99 人	39.3	40.1	39.1	39.4	40.6	30.7	16.0

注）1）2021 年 3 月卒は就職 2 年後，2022 年 3 月卒は就職 1 年後の離職率。
　　2）離職率は，新規学卒として雇用保険に加入した者のうち当該期間に離職した者の割合。
出所）厚生労働省ウェブサイトより作成。

CHART 表 5.4　高度経済成長期の事業所規模別男性離職率の推移

（単位：%）

規　模	1964 年	1965 年	1966 年	1967 年	1968 年
500 人以上	10.3	9.4	8.4	10.6	10.3
（うち 25 歳未満）	18.2	15.3	13.7	17.7	19.2
30〜99 人	20.3	19.4	19.0	18.7	14.5
（うち 25 歳未満）	31.5	30.4	29.9	31.3	28.6

注）離職率は常用労働者数に対する，調査対象期間中に事業所を退職したり解雇された者の割合（他企業への出向者・出向復帰者を含み，同一企業内の他事業所への転出者を除く）。
出所）労働省「昭和 44 年　労働経済の分析」より作成。

5　終身雇用の実態

諸外国の企業とは異なり，日本の大企業ではレイオフなどの従業員の解雇は一般的ではないため，結果として長期継続雇用が成立する。しかしながら，すべての従業員が定年まで到達するわけではないのである。

業績が悪化した場合に限らず，多くの企業で定年前の出向・転籍や早期退職優遇制度が設けられている。次の新聞記事は NEC の出向・転籍，希望退職者募集について報じたものである。

NEC，1200 人出向・転籍，取引先などへ，年度内に 3000 人削減

NEC が 2018 年度に実施する 3000 人規模の人員削減のうち，1200 人分については取引先などへの出向や転籍を進める方針であることが 25 日，分かった。

退職金を上乗せする早期希望退職を別途 10 月から募り，人件費の削減につなげる。

同社は業績低迷を受けて 18 年 1 月に，国内で 3000 人規模の人員削減を実施する方針を示した。これを具体的に進めるための方策が明らかになった格好だ。

3000 人のうち 1200 人の枠については NEC での経験や蓄積した技術などを生かして，グループ外の取引先に出向・転籍してもらう。

NEC はこのほかに収益改善策として，一関事業所（岩手県一関市）と茨城事業所（茨城県筑西市）を 18 年度末までに閉鎖する。

———『日経産業新聞』2018 年 4 月 26 日

出向とは，所属している企業（出向元）に籍を残したまま，グループ企業や取引先など（出向先）の業務に従事することである。中高年の従業員が出向する場合，多くは数年後に出向先に移籍する**転籍**を前提にしている。転籍した場合には，出向元は退職することになる。**早期退職優遇制度**は，希望退職などとも呼ばれ，退職金の割り増しなどの優遇措置のもとで自発的な退職者を募るという制度である。企業や業界による違いはあるが，出向・転籍，早期退職優遇制度ともに，50 歳前後の従業員を対象にすることが多い。

前節の図5.4 に示したように，日本の大企業では長期にわたって従業員の競争・選抜が行われる。そして，40 歳代から 50 歳代になり，それ以上の「出世」が見込めなくなった従業員は出向・転籍の対象となる場合が多い。また，そうした従業員が，早期退職優遇制度を利用して自ら退職の道を選ぶこともある。

このような制度は以前から存在しており，そのことを前提にすれば，日本企業ではすべての従業員が終身雇用であるというのは幻想であることがわかる。

つまり，日本企業では長期的な雇用を前提にした人事システムが構築されているが，その中でも競争や選抜は行われ，定年前の退職も想定されているのである。

EXERCISE

① ある企業のエントリーシート[15]で「よりよい社会をめざす上で，『結果の平等』と『機会の平等』についてどう考えるべきだと思いますか。自らの考えを論じてください（800字程度）」という質問が出された。この質問への回答は直接業務にかかわるものとは思えない。この会社は何を意図してこのような質問を設定しているのだろうか。この質問は応募者のどのような資質を見ようとしているのだろうか。多様な観点から考察してみよう。

② 下図は，日本における女性の年齢階級別労働力率の推移を示したものである。1981年のグラフに見られるように，これまで日本では，女性の労働力率は20

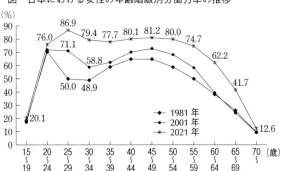

図　日本における女性の年齢階級別労働力率の推移

出所）内閣府男女共同参画局『男女共同参画白書 令和4年版』。

glossary

15　エントリーシート　企業が採用に際して応募者に提出を求める各社独自の応募書類のことで，近年ではウェブでの応募が主流である。書類選考の際や面接時の基礎資料として用いられる。

履歴書的な部分に加え，志望動機やいわゆる「ガクチカ（学生時代に力を入れたこと）」などの自己PR，その他の設問について，小論文のような形式での回答が求められる。400字，800字などの字数指定がなされることも多い。

なお，履歴書的な部分で年齢，性別の記載と写真添付が求められるのは日本の特徴であり，欧米では一般的ではない。

歳代後半から30歳代後半にかけて減少する傾向が見られた。そして，グラフの形から，日本の女性年齢階級別労働力率は「M字カーブ」を描くといわれてきた。しかし，近年はその傾向が見られなくなってきている。なぜ以前は「M字型」だったのだろうか。また，なぜ最近は「台形型」になってきているのだろうか。その原因について考えてみよう。

読書案内　　　　　　　　　　　　　　　　　　　　　　　Bookguide

佐藤博樹・藤村博之・八代充史［2023］『新しい人事労務管理（第7版）』有斐閣。
　　人事労務管理について網羅的に扱っている。わかりやすい記述で初学者にもおすすめである。
S.M. ジャコービィ（鈴木良始・伊藤健市・堀龍二訳）［2005］『日本の人事部・アメリカの人事部——日本企業のコーポレート・ガバナンスと雇用関係』東洋経済新報社。
　　日本的経営の核となる要素を本社の人事部と捉え，人事部を軸に日本企業とアメリカ企業を比較している。やや難易度は高いので，さらに発展的に学びたい人向けの本といえる。

動画資料　　　　　　　　　　　　　　　　　　　　　　　Movieguide

ロン・ハワード監督「ガン・ホー」（1986年，112分）
　　アメリカの小さな町の自動車工場が閉鎖され，町の活力を取り戻すために日本の自動車企業「アッサン自動車」が誘致されるが，アメリカ人と日本人の間で摩擦が生じる。ステレオタイプな見方だが，日米の仕事の仕方の違いがよくわかるコメディ。
細野辰興監督「燃ゆるとき THE EXCELLENT COMPANY」（2006年，114分）
　　食品会社の営業マンがアメリカに進出した子会社の立て直しを任され，上層部らと対立しつつも，その会社を再生していくというストーリー。日本的経営のイメージがよくわかる作品である。

CHAPTER

第6章

企業と経営戦略

> QUESTION
> 経営戦略にはどのようなものがあるのだろうか？ なぜ，そうした戦略がとられるのだろうか？

「スタバ」と「ドトール」。客層の違いはどこから来るのだろうか？

Imaginechina/時事通信フォト

時事通信フォト

　テレビや新聞の報道で，企業の経営戦略，競争戦略といった言葉を耳にすることが多い。企業は日々，さまざまな戦略を立て，それを実行している。どのような戦略を立て，実行していくのかは，企業経営における成否のカギとなる。本章では経営戦略について取り上げる。

KEYWORD	経営戦略　　企業戦略　　事業戦略　　企業ドメイン　　多角化

事業部制組織　　製品ライフサイクル　　組織は戦略に従う　　範囲の経済
シナジー効果　　PPM　　コスト・リーダーシップ戦略　　差別化戦略　　集
中戦略　　セグメント　　リーダー　　同質化　　チャレンジャー　　ニッチャ
ー　　フォロワー

① 経営戦略とは

　経営戦略という言葉を耳にする機会は多いだろう。ビジネスの世界では日常
的に使われる言葉だといってよい。「戦略」という言葉は，もともと軍事用語
だったが，企業間の競争を国家間の戦争に見立ててビジネスの世界でも使われ
るようになった。経営学の分野では，1960 年代以降，経営戦略論が注目され
るようになった。

　経営戦略は多くの論者によってさまざまに定義されている。網倉久永と新宅
純二郎は，そうした多くの定義を整理しつつ，経営戦略を「企業が実現したい
と考える目標と，それを実現するための道筋を，外部環境と内部環境とを関連
づけて描いた，将来にわたる見取り図」と定義している（網倉・新宅 [2011]）。
要するに，**経営戦略**とは，企業が進むべき大きな方向性とそのためのシナリオ，
見取り図とを含むものであり，それを実現するに際しては，企業外部の環境
（外部環境）と企業内部の環境（内部資源）とが考慮されなければならないとい
うことになる。たとえば，「音楽用レコード・プレーヤーを製造・販売する」
という目標を決めて，そのためのシナリオを勝手に描いたとしても，そもそも
音楽用レコード・プレーヤーに対する需要（外部環境）がなければ，その戦略
を実現することは難しいし，他方で，自社に音楽用レコード・プレーヤーを製
造する技術（内部資源）がない場合も，同様にその戦略を実現できないことに
なる。

　一般に経営戦略は，階層ごとに，企業戦略（全社戦略），事業戦略（競争戦略），
機能別戦略に分けられる。**企業戦略**は，自社の事業領域にかかわる戦略であり，

116 ● CHAPTER **6** 企業と経営戦略

「どこで戦うのか」を決めることである。**事業戦略**は，その事業領域の中での競争にかかわる戦略であり，「どのように戦うのか」を決めることである。機能別戦略は，組織上の各職能領域にかかわる戦略であり，ある企業戦略，事業戦略のもとで「各職能領域は何をすべきなのか」を決めることである。つまり，自社が戦うべき場が設定された後，そこでの戦い方が選択され，そうした方針のもとで各部署がどのように動いていけばよいのかが決められる，ということになる。たとえば，ある企業が航空業界に進出するという企業戦略を策定した場合，既存の航空会社である JAL や ANA とどのように戦っていくのか，その場合，人事部や営業部はどのような動きをすればよいのかが検討されることになるわけである。

以下，とくに企業戦略および事業戦略について詳しく見ていくことにしよう。

 企業戦略と企業ドメイン

すでに述べたように，企業戦略は全社戦略とも呼ばれるもので，自社の事業領域の選択にかかわるものである。

次の新聞記事は，日本コカ・コーラの酒類事業への進出を報じたものである。同社は市場成長の著しい酒類事業への足掛かりとして缶チューハイを販売することを決めた。新たな領域への事業展開であり，企業戦略に関する典型的な事例であるといえよう。

コカ・コーラが缶チューハイ 日本に，年内投入

米飲料大手のコカ・コーラは日本で酒類事業に参入する。2018年中に缶チューハイ商品を投入する計画だ。同社が缶チューハイを発売するのは世界で初めてとなる。世界的に砂糖税の議論が活発になっているほか，日本では清涼飲料事業の競争が激しい。既存の主力商品への逆風が強まるなか，新規の事業育成の足がかりとする。

（中略）

茶系飲料やミネラルウオーターでの成長余地は残るが，日本では清涼飲料全般で競合との争いは激しい。一方で，缶チューハイという独自のカテゴリーが伸びていることが日本での参入の背景にあるという。

缶チューハイの日本市場の伸びは続く。キリンによると，缶チューハイの 17 年の市場規模は前年比 9 ％増の 106 万キロリットルに拡大。ビールから流れている消費者も多く，今後も市場の拡大は続く見通しだ。伸びる状況も踏まえ，コカ・コーラグループも参入を決めた。

―――――『日本経済新聞』2018 年 3 月 8 日夕刊

　企業の活動領域・存在領域のことを**企業ドメイン**（domain）と呼ぶ。上述のコカ・コーラの事例は企業ドメインの拡大にあたる。ただし企業ドメインは，コカ・コーラの事例における清涼飲料事業や酒類事業といった事業領域や製品領域だけを指すのでなく，あるべき姿や経営理念といったような抽象的なものも含むとされる。このことについて，以下のアサヒグループホールディングスの事例で見てみよう。

　2011 年 7 月 1 日，母体となったアサヒビール株式会社の企業名称を変更し，純粋持株会社のアサヒグループホールディングス株式会社が発足した。傘下にはアサヒビール，アサヒ飲料，カルピス，アサヒグループ食品などを擁する。同社の「中長期経営方針」では，「おいしさと楽しさで "変化する Well-being" に応え，持続可能な社会の実現に貢献する」という長期戦略コンセプトのもとで，「ビールを中心とした既存事業の持続的成長と新規領域の拡大」という事業ポートフォリオを掲げ，自社の事業を規定していることがわかる。

　企業ドメインは抽象度が高すぎると漠然としてしまい，企業内外のステークホルダーの共通認識が得られないという問題が生じる。他方で，具体的で限定的であっても外部環境の変化に柔軟に対応することができない。

　アメリカの鉄道会社が衰退した原因は，自社の事業を輸送事業ではなく，鉄道事業と定義したことにあったとされる（レビット［2007］）。自社の事業を輸送ではなく鉄道と限定的に捉えたがゆえに，旺盛な旅客や貨物需要を自動車，トラック，飛行機などといった他の輸送手段に奪われてしまったのである（Column ⓲）。

　また，大和ハウス工業は，1959 年に「ミゼットハウス」というプレハブ住宅を本格的に製造・発売した業界のパイオニア的存在だが，もし現在も自社を戸建住宅メーカーと定義していたら，少子高齢化が進む状況において生き残ることは難しかったかもしれない。実際には，大和ハウス工業は

118 ● CHAPTER **6** 企業と経営戦略

> **Column ⓲　商船三井さんふらわあの海陸一貫輸送サービス**
>
> 　商船三井さんふらわあは，内航フェリー，RO-RO 船（トレーラーなどを運搬するフェリーと類似構造の貨物船）などを運航する，商船三井 100 ％出資の子会社である。
> 　同社はトレーラーによる貨物の受け取り，陸上輸送，海上輸送を組み合わせた目的地への貨物の配送という，海陸一貫輸送サービスを展開している。自社を，フェリーの運航会社ではなく，輸送サービスを提供する会社と見ていることがわかる事例である（商船三井さんふらわあ・ウェブサイト）。

CHART 図 6.1　大和ハウス工業の事業分野別売上高構成比率

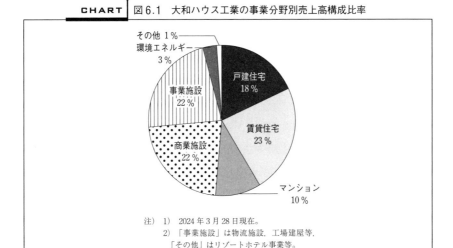

注）1）2024 年 3 月 28 日現在。
　　2）「事業施設」は物流施設，工場建屋等，「その他」はリゾートホテル事業等。
出所）大和ハウス工業ウェブサイト。

「私たちは，『人・街・暮らしの価値共創グループ』として，お客様と共に新たな価値を創り，活かし，高め，人が心豊かに生きる社会の実現を目指します」とし，Housing 領域，Business 領域，Life 領域，Global 領域を自社のドメインと定義し，後述のように，今や戸建住宅部門は売上の 18 ％に過ぎなくなるほど多角化を進め，外部環境の変化に柔軟に対応している（図 6.1）。

企業戦略としての多角化

　多角化とは，ある企業が新しい事業分野に進出することであり，企業全体の事業分野の多様性をもたらすものである。たとえば，ビール会社が，ビールの製造・販売事業に加えて，医薬品の製造・販売事業に進出するといったケースが考えられる。上述の大和ハウス工業の事例も，戸建住宅事業のみならずマンション事業，商業施設事業，スポーツクラブ事業など，多様な事業分野への進出が見られることから，典型的な多角化と見ることができる。第4章で見たように，多角化した企業は，**事業部制組織**を採用することが多い（Column ⓲）。

　企業はどのような場合に多角化するのだろうか。ここでは，リスク分散と範囲の経済という2つの点から考えてみよう。

　まず，リスク分散についてである。図6.2に示すように，製品やサービスには，人生と同じようにライフサイクルがあるといわれる。これを**製品ライフサイクル**という。第1段階は導入期で，新しい製品やサービスが市場に導入される時期である。第2段階は成長期で，製品やサービスが市場で受け入れられて需要が急速に伸びる時期である。第3段階は成熟期で，製品やサービスが市場で普及し，徐々に売上成長が鈍る時期である。第4段階は衰退期で，製品やサービスに対する需要は減少し，多くの企業がその事業から撤退する時期である。

　実際の製品でライフサイクルを見てみよう。iPodは2001年10月にアップルから発売された携帯音楽プレーヤーである。競合製品であるソニーのウォークマンとともに市場を牽引してきた。図6.3は，その携帯音楽プレーヤーの国内販売台数の推移である。2004年から2005年にかけて爆発的な需要の伸びを見せ（成長期），2010年ごろまで一定の需要を維持し（成熟期），2011年ごろから需要の減少が顕著になっている（衰退期）ことがわかる。iPodの登場に伴って市場は急速に拡大したが，2010年以降，類似機能を持つスマートフォンが普及し，携帯音楽プレーヤーの需要は次第に減少していったのである。

　このような製品・サービス，さらにいえば事業そのもののライフサイクルを前提とすれば，単一事業しか営んでいない企業の場合，その事業が衰退期に入

Column ⑲　組織は戦略に従う

　アルフレッド・チャンドラーは1962年出版の『経営戦略と組織』（*Strategy and Structure*）において，有名な「組織は戦略に従う」という考え方を示した。

　チャンドラーは，デュポン，ゼネラルモーターズ（GM），ニュージャージー・スタンダード石油，シアーズ・ローバックの丹念な調査に基づき，製品の多様化や地域・事業の多角化が進むと職能制（機能別）組織は機能不全となり，事業部制組織が構築されていくことを指摘した。つまり，多角化戦略の選択が事業部制組織の採用につながったということである。

　もっとも，チャンドラー自身は，戦略が組織に影響を及ぼすのと同様に，組織も戦略に影響を及ぼすことを指摘している。彼の問題関心は，組織構造と戦略との関係にあったのである（チャンドラー［2004]）。

ってしまうと企業そのものの存続が危険にさらされることになる。したがって，企業は多角化することでリスクを分散しようとするのである。

　次は範囲の経済についてである。**範囲の経済**とは，複数の事業を複数の企業で営むよりも，1つの企業で同時に営んだほうがコストが低下するという現象である。複数の事業で共通に利用可能な経営資源がある場合，たとえばそれを[16]共用すれば全体のコストは低下するだろう。つまり，共通利用可能な経営資源の活用によって範囲の経済はもたらされる。

　範囲の経済を前提にすれば，共通利用可能な資源を活かして他の事業分野に進出するということは十分に考えられる。たとえば，花王はシャンプーや洗剤などでなじみ深い会社だが，そうした製品には界面活性剤が使われている。界面活性剤とは，2つの物質が接する境界面に作用して性質を変化させる特性を持つ物質である。この界面活性剤には乳化作用を持つものもあり，この特性を活かして花王は業務用のマーガリンやバタークリームを製造・販売している。

glossary

16　経営資源　企業を経営していく上で必要となるさまざまな要素や技術，能力のことである。一般に，ヒト，モノ，カネ，情報を指す。「ヒト」は従業員などの人的資源，「モノ」はオフィスや工場，機械，設備，原材料などの物的資源，「カネ」は物的資源の購入や人的資源への給与，その他管理運営などに必要な金銭的資源，「情報」は市場や顧客，技術などに関する情報だけでなく技術やノウハウなども含む情報的資源のことである。

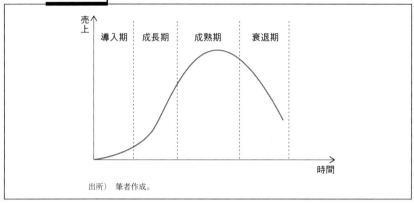

図6.2 製品ライフサイクル

出所) 筆者作成。

図6.3 携帯音楽プレーヤーの販売台数の推移

出所) 日経産業新聞編『市場占有率2006年版』；『日経 市場占有率』各年版；『日経シェア調査』各年版，日本経済新聞編『日経業界地図』各年版。

　つまり，花王は界面活性剤に関する技術という共通利用可能な経営資源を活かして，食品事業に参入するなどの多角化を進めたと考えることができる。

　上述の花王のケースでは，1つの技術が他の事業分野でも利用可能であった。つまり，花王のケースでいえば，食品事業は，シャンプーや洗剤で培われた技術に，いわばタダ乗りしていることになる。このように1＋1が2ではなく3や4になることを**シナジー効果**（相乗効果）と呼ぶ。シナジー効果には，販売

ルートやブランドを共有する販売シナジー，生産設備や技術を共有する生産シ
ナジー，経営能力を共有するマネジメント・シナジーなどがある。

4. 多角化とPPM

　多角化した企業においては，限られた経営資源をどの事業にどの程度配分す
ればよいのかという判断が求められるようになる。こうした全社的な資源配分
の効率化のための手法として，アメリカのボストン・コンサルティング・グル
ープ（BCG）によって提唱されたのが，プロダクト・ポートフォリオ・マネジ
メント（PPM）という考え方である。

　PPMは2つの前提から成り立っている。第1は，前述の製品ライフサイク
ルである。製品ライフサイクルの導入期や成長期には，研究開発，販売促進な
どで多額の資金が必要になる。他方で，成熟期や衰退期には，そうした資金は
あまり必要ではなくなる。第2は，経験曲線効果である。経験曲線効果とは，
製品の累積生産量が2倍になると製品1単位当たりのコストが20％から30％
低下するという現象である。こうした効果は，特定の作業を繰り返すうちに作
業能率が向上すること，生産設備の改良などにより生産設備の能率が向上する
ことなどによってもたらされる。したがって，高い市場シェア（占有率）を維
持している会社は，累積生産量が他社に比べて大きくなるので，経験曲線効果
が働き，低コストが達成できる。この場合，仮に製品の価格が同じであれば，
より多くの利益を得られることになる。

　この2つの前提に従い，BCGは，製品ライフサイクルがどの段階なのかを
表す市場成長率と，競合企業と比べた累積生産量の程度を表す相対的市場シェ
アとを2軸にとった，マトリクスを提示している（図6.4）。そして，このマト
リクス上に，自社の事業・製品を図中のグレーの円のようにプロットする。円
の大きさは製品の売上高を示している。このような作業を通じて，効率的な資
源配分についての意思決定を行うのである。

　図6.4は4つのセルに分かれている。左下の「金のなる木」は，相対的市場
シェアが高いので，一般的には売上も大きくなる。他方で，市場成長率は低い

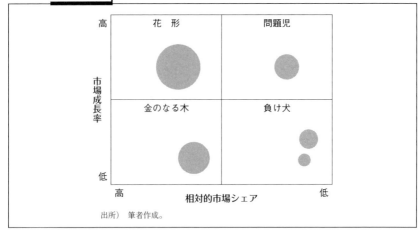

図6.4 PPM

出所）筆者作成。

ので，研究開発・設備・販売促進などへの投資額は少なくて済む。つまり，少ない投資で大きなリターンが得られる稼ぎ頭の事業といえる。

左上の「花形」は，「金のなる木」と同様に相対的市場シェアが高いので売上は大きいが，市場成長率が高いため研究開発・設備・販売促進などへの投資額もまた大きくなる。ここに位置する事業は，市場シェアを維持するために引き続き多額の投資を行い，将来「金のなる木」に育てることが求められる。

右上の「問題児」は，市場成長率が高いにもかかわらず相対的市場シェアが低い事業である。事業自体の成長性は期待できるため，研究開発・設備・販売促進などの投資を強化し，「花形」に育てることが求められる。

右下の「負け犬」は，市場成長率が低い上に相対的市場シェアも低いため，今後の事業としての成功の可能性は低い。したがって，事業の撤退を考える必要がある。

一般に，「金のなる木」で得た資金を「問題児」や「花形」に投資し，それらの事業を「金のなる木」に育てていくことが理想だとされる。

5 事業領域における競争戦略

どの事業領域を戦いの場とするのかが決まると，次はその事業領域でどのよ

うに戦うのかが問題になる。つまり，競合他社に対してどのような競争優位性[17]を確保するのかという，競争戦略が重要になってくる。

マイケル・ポーターは，競争戦略における3つの基本戦略を提示している。コスト・リーダーシップ戦略，差別化戦略，集中戦略である（図6.5，ポーター[1995]）。

コスト・リーダーシップ戦略は，競合他社よりも低コストであることを競争優位の源泉とする戦略である。一般に低コストは，規模の経済[18]や経験曲線効果によってもたらされることから，コスト・リーダーシップ戦略は業界トップの企業に適した戦略だといわれる。以下の新聞記事は，日本マクドナルドが展開した100円バーガー・キャンペーンについてのものである。市場シェアがトップである日本マクドナルドが，低コストを武器にハンバーガーの価格を下げたという，典型的なコスト・リーダーシップ戦略の事例であるといえよう。

100円バーガー登場，日本マクドナルドがキャンペーン展開

日本マクドナルドは2日，通常210円の「ハンバーガー」（商品名）を100円で提供するキャンペーンを始めた。11月15日まで展開する。フライドポテトやドリンクとセットにして安売りキャンペーンをしたことはあるが，「ハンバーガー」単品を半額以下で売るのは初めて。景気後退で売り上げが伸び悩んでいるため，低価格戦略を前面に打ち出す。

――――『日本経済新聞』1992年10月3日

差別化戦略は，品質，技術・機能，ブランド・イメージ，販売方法などによって，競合他社にない独自性を自社の製品・サービスの中に構築する戦略である。この場合，競争優位の源泉は独自性となる。たとえば，ルイ・ヴィトンのバッグはルイ・ヴィトンというブランドによって競合他社のバッグとの差別化を図っているし，モスフードサービス（モスバーガー）はハンバーガーに高品

---

glossary

17　競争優位性　　競合他社に対する競争上の優位性であり，競合他社よりも優れた価値の提供や低コストの実現が可能な状態を，長期的に持続できる能力によってもたらされる。競合他社が簡単に真似できない武器を持っていることが競争戦略上のカギになるといえる。

18　規模の経済　　生産量が大きくなるほど単位当たりのコストが低下する現象のことをいう。習熟や原材料の大量購入によるコスト低下，管理費や設備費など固定費の相対的低下によりもたらされる。

⑤　事業領域における競争戦略　●　125

CHART 図6.5 ポーターの基本戦略

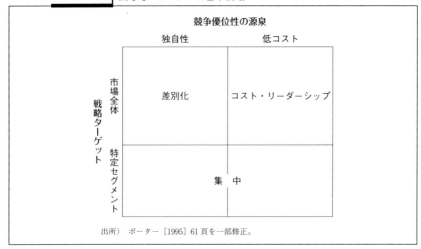

出所) ポーター [1995] 61頁を一部修正。

質の素材を使い注文を受けてから製造することでマクドナルドとの差別化を図っている。デル (Dell) は直販方式で顧客の望むスペックのパソコンを販売するという独自の販売方法で差別化を図っている。

集中戦略は，特定の顧客，製品・サービス，地域といった**セグメント**[19]に，経営資源を集中する戦略である。戦いの場（戦略ターゲット）を，市場全体ではなく，特定のセグメントに絞って効率を高めるという考え方である。沖縄に本社を置くオリオンビールのケースを見てみよう。ビール業界はアサヒビールとキリンビールが首位争いをしており，2番手グループにサントリービール，サッポロビールが位置している。業界第5位のオリオンビールの市場シェアは，およそ1％しかない。しかしながら，沖縄県内におけるオリオンビールの市場シェアは高い。つまり，オリオンビールは全国を戦いの場とするのではなく，沖縄という地域に特化して戦うという集中戦略をとっているのである。

他方，フィリップ・コトラーとケビン・ケラーは，市場の企業のポジションを，リーダー，チャレンジャー，ニッチャー，フォロワーと4分類し，各ポジションで企業が一般的にとる戦略を示している（コトラー=ケラー [2014]）。

glossary

19 セグメント 市場のある一部分のこと。また，市場を細分化することをセグメンテーションと呼ぶ。セグメンテーションの基準は多様で，顧客，地域，製品などが考えられる。

リーダーは，その市場においてトップの市場シェアを確保している企業である。リーダーは，市場シェアの拡大，さらに市場全体の拡大を狙う戦略に出る。また，市場シェアの維持・防衛のために，市場のあらゆるセグメントをカバーするフルライン戦略や，競合他社の差別化戦略に対して同質化という方法で模倣・追随する戦略をとる。たとえば，乗用車市場トップのトヨタ自動車は，小型車から大型車，SUV車まで，あらゆるセグメントに製品を配置するというフルライン戦略をとっている。また，清涼飲料市場トップのコカ・コーラは，大塚製薬のポカリスエットの対抗商品としてアクエリアスを，アサヒ飲料の十六茶の対抗商品として爽健美茶をそれぞれ発売するという，同質化戦略をとってきた。

チャレンジャーは，リーダーの次のポジションに位置し，リーダーのポジションを狙おうとする企業である。リーダーに正面から対抗しても勝ち目はないため，差別化が戦略として採用される。1987年，業界3番手だったアサヒビールは，リーダーのキリンビールに対抗するために辛口（ドライ）を売りにしたスーパードライを発売した（**Column ❷**）。これはチャレンジャーによる差別化の典型例である。

ニッチャーは，リーダーに対抗するのではなく，特定のセグメントでユニークな事業展開をしている企業である。リーダーやチャレンジャーが注目していない隙間のような市場であるニッチ市場で，独自のポジションを築くという戦略をとる。フォレスター，レヴォーグ，インプレッサなどの4輪駆動乗用車の製造・販売で独自性を発揮するSUBARU（スバル）はニッチャーといえる。

フォロワーは，リーダーに対抗するわけでも，独自性を追求するわけでもない企業である。競合他社の戦略に追随し，市場でのポジションを維持していく。リーダーの製品やサービスを低コストで模倣しつつ提供するなどといった戦略をとる。製薬業界でジェネリック医薬品（後発薬）の製造・販売に特化する沢井製薬は，フォロワーの典型である。武田薬品工業など先発薬メーカーの製品の特許切れを待って先発薬の模倣品であるジェネリック医薬品を製造している。一般に，新薬の開発には莫大な費用がかかるが，研究開発費の負担がないため低価格で同様の効果を持つ薬を製造・販売することができるわけである。

⑤　事業領域における競争戦略 ● 127

Column ⑳　ビール業界のドライ戦争

　1987 年 3 月，アサヒビールは日本初の辛口生ビール「スーパードライ」を発売した。スーパードライは多くの消費者に受け入れられ，大ヒット商品となった。

　スーパードライの大ヒットを受け，キリンビール，サッポロビール，サントリーといった競合他社も翌 1988 年 3 月までに，スーパードライに対抗すべくそれぞれドライビールを発売した。

　ドライビールは予想外の人気となり，キリンビール，サッポロビール，サントリーの 3 社の商品は，発売早々から品切れという異例の事態に陥った。また，アサヒビールがキリンビール，サッポロビール，サントリーなどに対し「ラベルのデザインや名称が酷似している」と申し入れたのをきっかけに，ドライビールをめぐる業界の動向は，社会問題化した。これが世にいうドライ戦争である。

　競合 3 社が商品供給能力不足を起こしたこともあって，1988 年夏の商戦はアサヒビールがスーパードライで一人勝ちした。競争に敗れた競合他社は，「ドライ人気は一時的」との見方も相まってドライビールに偏りすぎた戦略を見直し，新しい方向に舵を切ることになる。そうして 1990 年 6 月に，キリンビール，サッポロビール，サントリーは，ドライビールの生産を大幅に縮小することを明らかにした。ドライビール市場でのスーパードライの優位性が顕著になったことを受けての 3 社の判断だったといえよう。競合 3 社はドライビール以外の商品の開発と育成に戦略を転換していった。ここにおいてドライ戦争は終結したのである。

　その後，スーパードライは販売の伸びが鈍る時期もあったが，アサヒビールは販売の踊り場を脱すべく鮮度を訴求する「鮮度向上運動」を展開し，スーパードライをロングセラー商品へと育てることに成功した。チャレンジャーとしての差別化戦略は，キリンビールの同質化戦略に打ち勝ち，アサヒビール自体も市場のリーダーに躍り出ることとなった（『日経産業新聞』1988 年 3 月 14 日；1988 年 3 月 15 日，『日経流通新聞』1988 年 2 月 9 日；1988 年 9 月 3 日，『日経トレンディ』2017 年 12 月号）。

EXERCISE

① 仮に市場の状況が以下のようなものだった場合，A 社および B 社はどのような戦略をとるべきであろうか。PPM 分析を行い検討してみよう。

		事業 U	事業 V	事業 W	事業 X	事業 Y	事業 Z
市場シェア（%）	A 社	20	13	45	10	50	10
	B 社	30	50	20	45	23	10
	C 社	40	7	20	10	20	15
	D 社	10	30	15	35	7	65
	合計	100	100	100	100	100	100
市場規模（億円）		2000	2000	3000	4000	2500	3500
市場成長率（%）		20	− 20	− 15	25	30	− 5

・補足説明

　　PPM 分析を行うためには，各事業の相対的市場シェア，市場成長率，事業の売上高という 3 つの情報が必要である。まず，横軸は相対的市場シェアを表す。相対的市場シェアとは，自社を除く業界他社のうち最大手の企業のシェアと自社のシェア比である。たとえば，事業 U に関する相対的市場シェアは A 社は 0.5，B 社は 0.75，C 社は 1.33，D 社は 0.25 となる。1 以上であれば業界 1 位となるため，通常は 1 を基準にして左右に分類する。また，1 以下の相対的市場シェアの違いを明確化するために対数軸を用いて表現する。次に，縦軸は市場成長率を表す。企業の状況に依存するが，通常は 10 ％の市場成長率を基準にして高低に分類する。最後に，円の大きさは製品の売上高を示す。エクセルのバブルチャートを利用して PPM 分析のグラフを作成できるので，まずは 4 社のグラフを作成してみるとよいだろう。

② 新聞記事データベース（日経テレコンなど），雑誌記事データベース（日経 BP 記事検索サービスなど）を用いて差別化戦略の事例を見つけ，記事の内容を要約した上で，何によって差別化を図っているのかを整理してみよう。

③ 特定の業界を取り上げ，どの企業がリーダー，チャレンジャー，ニッチャー，フォロワーに該当するのかを示してみよう。

読書案内 | 　　　　　　　　　　　　　　　　　　　　　　　　　　　Bookguide ●

網倉久永・新宅純二郎［2011］『経営戦略入門』日本経済新聞出版社。

　　経営戦略全般について網羅的に扱っている。さらに発展的な学習を望む場

合におすすめである。

加藤俊彦［2014］『競争戦略』日本経済新聞出版社。

　　本章で述べた競争戦略についての議論は基本的なものであるが，この本で
はさらに発展的なことについて述べられている。内容はやや難しい部分もあ
るが，新書なので手軽である。

楠木建［2010］『ストーリーとしての競争戦略——優れた戦略の条件』東洋
経済新報社。

　　ストーリーとして競争戦略を捉えようという視点で書かれた本である。そ
の背後にある論理についても説明されている。ビジネスパーソンを読者と想
定しているので読みやすいが，内容のレベルは高い。

沼上幹［2023］『わかりやすいマーケティング戦略（第3版）』有斐閣。

　　マーケティング戦略というタイトルだが，競争戦略，企業戦略について扱
った本である。論理的に考えることの重要性をベースに置きつつ，初学者で
もわかるよう基本事項について事例を交えながら説明されている。

動 画 資 料　　　　　　　　　　　　　　　　　　　　**Movieguide ●**

ベネット・ミラー監督「マネーボール」（2011 年，133 分）

　　アメリカのプロ野球チームであるオークランド・アスレチックスのゼネラ
ルマネジャーが「セイバーメトリクス」という成績や戦略をデータ分析する
手法を用い，経営危機に瀕した球団を再建する姿を描いている。

マーティン・バーク監督「バトル・オブ・シリコンバレー」（1999 年，97 分）

　　アップル設立者のスティーブ・ジョブズとマイクロソフト設立者のビル・
ゲイツを対比しながら描いた作品。アップルとマイクロソフトの成長の軌跡
がわかる。取材に基づいてストーリーがつくられている。

CHAPTER 第 7 章

M&A と戦略的提携

QUESTION
なぜ，企業は他の企業と手を組むのだろうか？

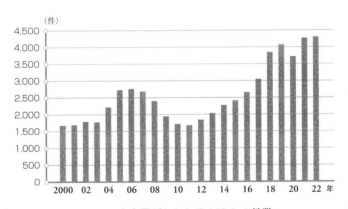

日本企業がかかわる M&A の件数

出所）『中小企業白書』2023 年版。

　近年，企業戦略としての M&A や戦略的提携が，さかんになっている。なぜ，ライバル企業や他の業界の企業との統合や提携などが行われるのだろうか。本章では M&A と戦略的提携について取り上げる。

```
KEYWORD
```

M&A　　合併　　持株会社による経営統合　　株式取得　　事
業買収　　垂直的 M&A　　水平的 M&A　　製品拡張型 M&A　　市場拡張型
M&A　　コングロマリット型 M&A　　戦略的提携　　製造委託（受託）　　販
売提携　　共同開発　　資本提携　　ジョイント・ベンチャー

1　M&A とは何か

　近年，とくに 2000 年以降，日本企業が絡む M&A が増えてきている。M&A
は merger（合併）& acquisition（買収）を省略した用語で，文字通り，企業の
合併や買収を意味する。

　下の新聞記事は，鉄鋼大手企業の新日本製鉄と住友金属工業（現：日本製鉄）
の M&A を報じたもので，典型的な合併の事例といえるだろう。

新日鉄・住金 合併へ　粗鋼生産世界 2 位，来年 10 月めど，巨大海外勢に対抗
　鉄鋼国内最大手の新日本製鉄と 3 位の住友金属工業は 3 日，合併に向けた検討を始
めたと発表した。公正取引委員会など国内外の独禁当局の審査を経て，2012 年 10 月
1 日付の合併を目指す。10 年の両社の粗鋼生産量を合計すると約 4800 万トンになり，
合併で欧州アルセロール・ミタルに次ぐ世界 2 位に浮上する見込み。原料価格の高騰
に加え中国など海外勢の攻勢が激しさを増すなか，規模の拡大で経営基盤を強化し，
世界市場で勝ち残りを狙う。

————『日本経済新聞』2011 年 2 月 4 日

　次の新聞記事は，事業買収の事例である。石川島播磨重工業（現：IHI）が，
日産自動車の航空宇宙・防衛事業部門を買収したことを報じている。

石播，日産の防衛部門買収へ　400 億円強，今夏メド，ロケット技術強化
　石川島播磨重工業は経営再建中の日産自動車の航空宇宙・防衛部門を買収する。買
収額は 400 億円強と見られ，従業員約 860 人は石播が引き継ぐ方向で 2 日，最終調整
に入った。今夏をメドに事業移管を完了させる見通し。日産は 1999 年 3 月末で約 2
兆 9000 億円にのぼる連結有利子負債の削減を狙って多角化部門を売却，本業の自動

132 ● CHAPTER **7**　M&A と戦略的提携

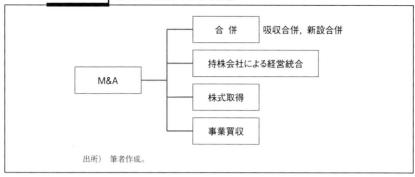

図7.1 M&Aのおもな形態

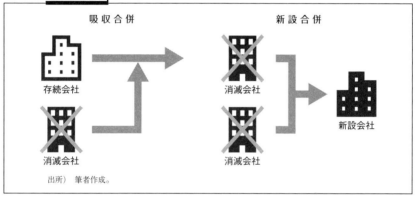

図7.2 吸収合併と新設合併

車事業に集中する。石播は日産が強みを持つロケット技術を取り込む。

――――『日本経済新聞』2000年2月3日

　このように，M&Aにはいくつかの形態がある。図7.1は，M&Aのおもな形態をまとめたものである。

　合併とは，複数の会社が統合して1つの会社になることである。ある1社を存続会社として，その他の会社が存続会社に吸収される形で統合するものを，吸収合併という。これに対して，新たな会社を設立して，新設会社に既存の会社が吸収される形で統合するものを，新設合併という（図7.2）。吸収合併という言葉からは，一見マイナスのイメージを受けるかもしれないが，現実には吸収合併がとられるケースが大半である。新設合併を採用した場合，会社の解散，

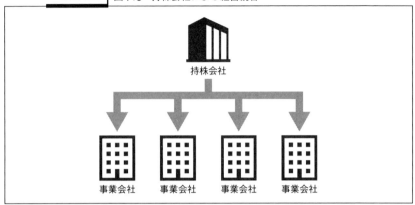

CHART 図7.3 持株会社による経営統合

新設に伴う許認可の再取得や株式市場への再上場などといった手続きが煩雑になることが，その理由であるとされる。結局1つの会社になるのであれば，手続きが煩雑でない方法を選択しようという合理的な発想だといえよう。前述の新日本製鉄と住友金属工業の合併の事例でも，新日本製鉄を存続会社とし，住友金属工業を吸収合併するという方法がとられている。

持株会社による経営統合とは，おもに持株会社（holding company）を利用して複数の企業が統合することをいい，近年増加している（図7.3）。持株会社は，他の会社の株式を所有することでその会社の事業活動を支配することを事業とする会社である。他社の支配のみを事業とするタイプのものを純粋持株会社，自社の事業を持ちながら他社の支配も行うタイプのものを事業持株会社と呼ぶ。一般に持株会社という場合は前者がほとんどで，英語表記に基づき，「○○ホールディングス」と称している会社が多い。他方，持株会社に支配される会社は事業会社と呼ばれ，持株会社傘下で具体的な事業活動を行う。たとえばアサヒグループホールディングスは，傘下に酒類事業を営むアサヒビール，清涼飲料事業を営むアサヒ飲料，食品事業を営むアサヒグループ食品などの事業会社を擁する純粋持株会社である。

株式取得は，他社の経営権を得ることを目的として，その会社の過半数以上の株式を取得することを指す。2016年8月，ハウス食品グループ本社（以下，ハウス）は，味の素の子会社であった大手香辛料メーカーのギャバン（現：ハウスギャバン）を，TOB[20]（株式公開買い付け）で完全子会社化した。香辛料とカレ

ーの製造・販売を主要事業とするハウスが，業務用香辛料の製造・販売を主要事業とするギャバンの子会社化により，香辛料事業を強化することが狙いであった。この事例では，味の素も友好的にギャバンの株式をハウスに譲渡した結果，ハウスがギャバンの発行株式の 100 ％を取得して経営権を獲得した。ハウスは 2015 年にも「カレーハウス CoCo 壱番屋」を展開する壱番屋を子会社化しているが，このときは壱番屋の発行株式の 51 ％を取得することで経営権を確保している。

事業買収とは，他社のある事業部門を買収することである。その事業を営むのに必要な土地や建物・機械・従業員など一式を譲り受けることを指し，単に工場の機械を何台か買い取ることなどはここでいう事業譲渡にはあたらない。前述の石川島播磨重工業による日産自動車の航空宇宙・防衛事業部門の買収や，2004 年のライオンによる中外製薬の「グロンサン」「バルサン」などを製造・販売する一般用医薬品事業部門の買収などがこれにあたる。

M&A の狙い

M&A の狙いを一言でいえば，自社にとって必要な外部資源の獲得ということになる。アメリカ公正取引委員会は，M&A を，垂直的 M&A，水平的 M&A，製品拡張型 M&A，市場拡張型 M&A，コングロマリット型 M&A の 5 つに分けている。この分類に従いながら，それぞれの狙いをもう少し詳しく見ていこう（バーニー［2003］）。

垂直的 M&A は，原材料供給業者や流通業者など，サプライチェーンの前後の企業との M&A である。生産コストや流通コストの削減，原材料供給や流通

glossary

20　TOB　takeover bid の略語で，株式公開買い付けと訳される。ある企業の株式を取得したいと考える者が株式の買付価格，期間，株式数を公告した上で，その企業の不特定多数の株主から株式を買い取る制度である。アメリカではテンダー・オファー（tender offer）と呼ばれる。企業買収の手段として，経営権獲得に必要な株式を取得するために用いられることが多い。買収される企業の賛同を得て実施する場合を友好的 TOB と呼び，賛同を得ずに実施する場合を敵対的 TOB と呼ぶ。

の安定化などが，その狙いである。トヨタ自動車も，以前はトヨタ自動車工業とトヨタ自動車販売という2社で製造と販売を別々に営んでいたが，1982年に，いわゆる工販合併によって現在の形となった。トヨタ自動車の誕生は垂直的M&Aの典型例といえる。

　水平的M&Aは，同業他社・競合企業とのM&Aである。規模の経済（▶第6章），競争の回避などがその狙いである。前述の新日本製鉄と住友金属工業の合併は，規模の経済を狙った水平的M&Aの典型例といえる。

　製品拡張型M&Aは，既存製品を補完する製品ラインの獲得で，範囲の経済性（▶第6章）を拡大することがその狙いである。ライオンによる中外製薬の一般用医薬品事業部門の買収が，これにあたる。

　市場拡張型M&Aは，新たな地理的市場へのアクセスを確保することが，その狙いである。2007年に，イオンが関西地盤食品スーパーである光洋の株式を取得し，子会社化したケースがこれにあたる。イオンは光洋を子会社化することで，自社が手薄だった関西圏の都市型店舗を獲得した。

　コングロマリット型M&Aは，M&Aの対象となる企業間に，上記4タイプにあるような関連性が見られないタイプのM&Aである。多角化（▶第6章）を狙う場合も多いが，その狙いはケースによって異なる。

　上で述べたM&Aによってもたらされるメリットは，M&A以外の方法でも得られるものである。ライオンは中外製薬から一般用医薬品事業部門を買収しなくても自社でそうした一般用医薬品をゼロから開発すればよいし，イオンも関西圏の都市型店舗を自社で地道に出店していけばよい。しかしながら，両社は，そうした内部成長・内部開発ではなく，M&Aという方法を採用した。なぜなのだろうか。じつは，M&Aという方法の強みは，そうしたメリットを短時間で獲得できることにある。つまり，M&Aの真の狙いは，時間の節約にあるともいえるのである（Column ㉑）。

3　戦略的提携とは

　自社にとって必要な外部資源の獲得方法としては，前節までで扱ったM&A

Column ㉑　アサヒグループホールディングスの海外展開

　「スーパードライ」を擁するアサヒグループホールディングス（以下，アサヒ）は，国内ビール系飲料市場（ビール，発泡酒，第 3 のビール）のトップ企業である。しかし，近年，高齢化の進展や消費の多様化に伴うビール離れなどにより，国内ビール系飲料市場は縮小傾向にある。そうした市場の動向もあって，ライバル各社は早い段階から海外展開を進めてきた。

　キリンホールディングスは，オーストラリア，ミャンマーなどに進出し，2016 年度の海外売上高比率が 33 ％，同年度のサントリーホールディングスは，アメリカ，ヨーロッパなどを中心に海外売上高比率が 34 ％に達していたのに対し，アサヒの海外売上高比率は 16 ％にとどまっていた。

　海外展開でライバルに後れをとったアサヒは，2016 年，この状況を一気に打開するために，イギリスのビール大手 SAB ミラーから西ヨーロッパのビール事業の一部を約 3300 億円で買収した。さらに 2017 年には，ビール業界世界最大手のアンハイザー・ブッシュ・インベブから東ヨーロッパ 4 カ国のビール事業を約 8700 億円で買収した。この結果，アサヒはイタリアの「ペローニ」，オランダの「グロルシュ」，チェコの「ピルスナーウルケル」などの有力ブランドを手に入れた。一連の M&A により，アサヒは 2017 年度の海外売上高比率をライバル並みの 30 ％にすることを狙ったのである（『日本経済新聞』2016 年 2 月 11 日；2017 年 4 月 1 日；2017 年 8 月 26 日，『週刊東洋経済』2016 年 9 月 24 日号；2016 年 12 月 24 日号，『会社四季報』2017 年夏号，サントリーホールディングス・ウェブサイト）。

以外にも，一般的な商取引や戦略的提携が考えられる。ここでは，戦略的提携について見ていくことにしよう。

　次の新聞記事は，トヨタ自動車とマツダの資本提携，共同開発を報じたものである。ライバル同士が手を結ぶという戦略的提携の 1 つのパターンである。

トヨタ・マツダ相互出資，500 億円ずつ，米で EV 共同生産も

　トヨタ自動車とマツダは 4 日，資本提携すると発表した。10 月にトヨタがマツダに 500 億円で 5.05 ％，マツダもトヨタに同額で 0.25 ％を出資する。米国では共同で 16 億ドル（約 1760 億円）を投じて新工場の建設を検討。電気自動車（EV）の共同

3　戦略的提携とは　● 137

開発も進め，トヨタの豊田章男社長は新工場での EV 生産も「検討する可能性はある」と述べた。

――――『日本経済新聞』2017 年 8 月 5 日

　次の新聞記事は，同じくトヨタ自動車がかかわる戦略的提携の事例である。マイクロソフトだけでなくアマゾンの子会社といった IT 企業と連携し，「コネクテッドカー」サービスの事業強化を目指していくことが報じられている。

トヨタ，アマゾン系との提携拡大

　トヨタ自動車が米アマゾン・ドット・コムの子会社，米アマゾン・ウェブ・サービス（AWS）との業務提携を拡大する。「コネクテッドカー（つながる車）」の情報基盤に AWS のクラウドコンピューティングサービスを活用する。IT（情報技術）企業との提携を広げ，サービス事業の強化を急ぐ。

　（中略）

　トヨタは IT 大手では米マイクロソフトとの関係が深く，2011 年に業務提携して子会社が出資を受け入れている。クラウドも主にマイクロソフトの「アジュール」を使ってきた。一方，AWS とも 17 年に大口契約を結び，今回の提携拡大により対象をグループ会社に広げる。

――――『日経流通新聞』2020 年 8 月 21 日

　このように，近年，戦略的提携がさかんになっている。**戦略的提携**とは，企業の独立性を確保しつつ構築された緩やかで柔軟な協調関係のことである。特定の領域やテーマに関して企業同士，あるいは企業と他の主体が連携することをいう。

　戦略的提携には，製造委託（受託），販売提携，共同開発，資本提携，ジョイント・ベンチャー（JV）など，いくつかのタイプがある。

　いわゆる OEM[21] に代表される**製造委託（受託）**は，提携先に自社製品の製造

glossary

21　OEM　original equipment manufacturing または original equipment manufacturer の略で，委託企業のブランドで製品を生産すること，あるいはそうした製品を生産する企業のことをいう。OEM 供給を受ける企業は，自社での製造・開発に伴うリスクやコストを軽減でき，OEM 生産を行う企業も，販売量の拡大や生産設備の効率的活用などが見込める。流通大手セブン＆アイの PB（プライベート・ブランド）商品「セブンプレミアム」は，この典型である。また，トヨタ自動車の軽自動車「ピクシスエポック」は，ダイハツ工業から「ミライース」をベースに OEM 供給を受けて販売されている車である。

138 ● CHAPTER **7**　M&A と戦略的提携

を委託するというものである。たとえばアップルは，台湾の鴻海精密工業に iPhone の製造を委託しているとされる。

販売提携は，提携先に自社製品の販売を委託するものである。たとえば第一三共ヘルスケアと千寿製薬は販売提携についての協定を結び，2024 年 4 月 1 日から千寿製薬の点眼薬「マイティア」を第一三共ヘルスケアが販売することとなった。千寿製薬にとっては第一三共ヘルスケアが持つ販売力が活用できるというメリットがあり，第一三共ヘルスケアにとっては自社が扱う点眼薬のバリエーションが増えるというメリットがある。

共同開発は，提携先と共同で製品やサービスを開発するというものである。たとえば山崎製パンは，早稲田大学，明治大学，法政大学，立教大学などの学生と，総菜パン「ランチパック（キャンパスランチパック）」の共同開発を行っている。前述のトヨタ自動車とアマゾン子会社の提携も，共同開発である。

資本提携は，提携先の株式を所有することであり，それによって連携関係の強化を目指すものである。前述のトヨタ自動車とマツダの提携は資本提携にあたるが，このケースのように，資本提携とともに共同開発や製造受委託などが行われることが多い。

ジョイント・ベンチャーとは，複数の企業がある事業目的のために一時的に共同で事業を行うことで，合弁事業ともいう。合弁事業のために共同出資して会社を設立する場合もある。1984 年にトヨタ自動車と GM が NUMMI という合弁会社を設立して進めたジョイント・ベンチャーは，とくに有名である（▶第４節 Column ㉒）。

図 7.4 は，M&A，戦略的提携，通常の商取引を，経営資源の統合・交換，信頼関係やリスクの共有の観点から整理し，位置づけたものである。薄いグレーの領域が，ここでいう戦略的提携の範囲になる。通常の商取引よりは経営資源の統合の程度と信頼関係やリスク共有の程度が高いが，M&A に比べると，それらの程度が低い，つまり緩やかであることがわかるだろう。

戦略的提携を結ぶ提携先は多種多様である。異業種の企業間で提携が結ばれることもあれば，同一業種内の競合企業間で提携が結ばれることもある。前述のトヨタ自動車，アマゾン子会社の戦略的提携は異業種間の戦略的提携であるし，第一三共ヘルスケアと千寿製薬の戦略的提携は同一業種内の競合企業間の

3 戦略的提携とは ● **139**

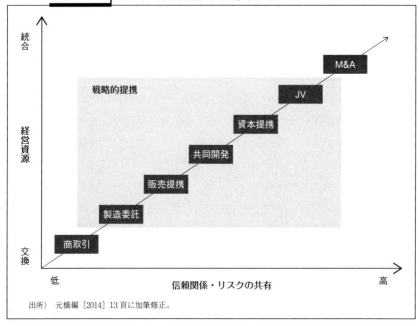

図7.4 戦略的提携とM&A、商取引

出所）元橋編［2014］13頁に加筆修正。

戦略提携である。共同開発の場合，大学や政府などの研究機関と提携が結ばれることが多い。山崎製パンの「キャンパスランチパック」のケースでは，顧客である大学生との共同開発が行われている。つまり，目的を共有できる相手であれば，どのような主体とも提携することが可能なのである。

4 なぜ戦略的提携なのか

　前節では戦略的提携の具体的な事例，パターンを確認したが，そもそも企業が戦略的提携を結ぶ狙いは，どこにあるのだろうか。
　基本的には，自社に必要な外部資源の獲得がその目的だといってよい。さらにいえば，規模の経済の実現によるコスト削減，リスク軽減，他社との協働によるシナジー効果の発揮などが考えられる。また，戦略的提携を通じての組織間学習なども想定される。
　とはいえ，コスト削減やリスク軽減，シナジー効果などは，一度限りの交換

関係である一般的な市場での商取引で達成することは難しいが，M&Aでも達成は可能であろう。また，必要な外部資源は，一般的な市場での商取引やM&Aであっても獲得することができるはずである。情報やマニュアルを市場で購入してくることによって，企業が組織的な知識を学習することも可能であろう。にもかかわらず，なぜ戦略的提携が選択されるのだろうか。

　たとえば，製造する際に特殊な設備を必要とするような部品や，それ自体が特殊な部品などは，一度限りの交換関係である一般的な市場での商取引には，なじみにくいだろう。製造する側の企業からすれば，継続的な取引が前提とされていない場合，そうした汎用性のない部品を製造するための投資を回収することは難しくなる。他方で，提供される側の企業からしても，取引のたびに新規の相手と交渉をするのは煩雑であるし，何よりも製品の品質を一定に保つことが難しくなってくる。したがって，そうした部品を製造・購入する場合には，ある程度，長い期間の取引関係が約束されていたほうが互いにとってメリットがある。

　また，相手の企業からある種の知識を学習したいという場合，いわゆる形式知[22]であれば一度限りの交換関係であっても学習することが可能かもしれない。だが，ノウハウや熟練の技といった暗黙知[22]は，ある程度長い期間にわたって協働しなければ学習することが難しい（**Column❷❷**）。

　しかし，一般的な市場での商取引が難しいとしても，なぜM&Aではないのだろうか。

　M&Aは戦略的提携に比べてコストがかかる。得られるメリットよりコストのほうが大きいと判断すれば，M&Aではなく戦略的提携が選択されるかもしれない。また，M&Aは法的な手続きも煩雑なので，そうした面も判断材料の1つになるだろう。

---

glossary

22　形式知と暗黙知　マイケル・ポランニーが提唱した概念である。その後，経営学者の野中郁次郎が，ナレッジ・マネジメントの文脈で経営学に導入した。形式知は，客観的で言語化できる知識のことを指す。企業内部においては，言語化・視覚化・数式化・マニュアル化された知識を意味する。これに対して暗黙知とは，主観的で言語化することができない知識のことを指す。企業内部においては，言語化できない，あるいは言語化したとしても十分他者に伝えることができないようなノウハウ，スキルといった知識のことをいう。形式知の移転は比較的容易だが，暗黙知の移転は簡単ではない。

Column ㉒　トヨタ自動車と GM の提携

　1984 年，トヨタは，アメリカ三大自動車メーカーの 1 つである GM との合弁で，ニュー・ユナイテッド・モーター・マニュファクチャリング（NUMMI）を設立した。資本金は 2 億ドル，両社の出資比率は 50 ％ずつで，社長にはトヨタの豊田達郎常務が就任した。

　小型車の自社開発が難航していた GM には，トヨタとの共同生産により小型車の販売を行うとともに，トヨタからトヨタ生産方式と呼ばれる製造ノウハウ[23]を吸収したいという狙いがあった。トヨタも，当時，問題化していた日米自動車摩擦により日本からアメリカに自動車を輸出することが難しくなっており，アメリカ国内に工場を開設する必要に迫られていた。また，GM との合弁は単独でのアメリカ進出に比べて投資が少なくて済む。さらに，将来，アメリカに自社工場を設立した際に，トヨタ生産方式を現地の従業員に理解・定着させる方法について，さまざまなことが学べるという利点もあった。

　NUMMI 以外の GM の工場におけるトヨタ生産方式の導入は必ずしもうまくいかなかったが，トヨタは NUMMI でのトヨタ生産方式導入に成功し，以後，その経験をケンタッキー工場など自社の海外工場設立時のトヨタ生産方式導入に活かした（トヨタ自動車ウェブサイト，『日経ビジネス』2017 年 4 月 10 日号）。

　リスクの観点から見ても，M&A は当初の目論見通りの成果が出なかったときに元の状態に戻すことが難しいといえるが，戦略的提携の場合は提携を解消すれば元の状態に戻ることができるという意味で，リスクが低い。

　組織文化の違いも無視することはできない。企業にはそれぞれ固有の組織文化がある。それは考え方であったり，手続きであったり，漠然とした雰囲気であったりと，多様な要素から形成される。こうした組織文化が著しく異なると，経営資源（▶第 6 章）の観点から見ればベストな組み合わせの M&A だったとしても，実際に統合した際に期待した成果が得られないということも出てくる。また，そもそも M&A が実現しないという事態も起こりうる。過去には住友銀

glossary

23 トヨタ生産方式　必要なものを，必要なときに，必要なだけ生産するという「ジャスト・イン・タイム」に代表されるトヨタ独自の合理的・効率的な生産方式。「ムダ，ムラ，ムリ」の排除や小ロットでの生産，「かんばん」の導入などといった特徴がある。

行と大和銀行の統合話が白紙に戻ったというケースがあるし，2015〜19年には出光興産と昭和シェル石油の統合話が難航したというケースもある。

　共同開発の観点からはどうだろうか。共同開発の狙いは，自社にない資源・能力を持つ他者と協働することによって，新たな技術を生み出すことにある。M&Aで一体化した場合，当初は新たな技術が生まれるかもしれないが，やがて同じ技術を持つ者同士の開発になってしまう。戦略的提携であれば，常に新たな提携相手を探すことができるので，別の技術を生み出すことも可能である。

　そうしたことを考えれば，多くの企業がM&Aではなく，さまざまな分野で戦略的提携を結んでいる理由も，十分理解できる。要するに戦略的提携のほうがハードルが低いのである。企業が他の組織・主体とのかかわりなく存在することはできないが，どのような組織・主体とどのようにかかわるのかについては，目的，メリット・デメリットから総合的に判断されるものだといえるだろう。

EXERCISE

① 以下の**秩父小野田と日本セメントの合併事例**を読み，なぜセメント業界でM&Aが進んでいるのかについて，市場の状況，製品の性質を踏まえながら考えてみよう（ヒント：セメントの品質に大きな違いはあるだろうか）。

・秩父小野田と日本セメントの合併事例

　1998年10月，当時，セメント業界第1位の秩父小野田と同3位の日本セメントが合併し，太平洋セメントが誕生した。存続会社は秩父小野田で，合併後の売上高は約4800億円，販売シェアは約40％となった。

　合併の目的は，物流や工場の統合・集約で生産効率を高めることにあった。公共事業の縮小により国内需要が低迷する中で，国内におよそ20社がひしめき合う上，韓国や中国からの安価な製品も輸入されるようになったことで価格競争が激化したことから，経営効率化によるコスト低減が求められていた。

　また，合併後は両社の技術力や経営資源を活用し，環境事業を本格的に立ち上げるとともに，住宅用建材事業やファインセラミックス事業などセメント以外の事業分野への多角化を進めるとされた（『日本経済新聞』1997年10月3日）。

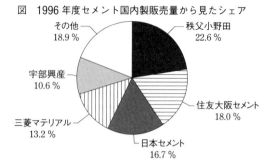

図 1996年度セメント国内製販売量から見たシェア

注) 国内販売量：8241万7000トン（前年比2.5％増）。
出所) 日経産業新聞編［1997］。

② 1999年8月，トヨタ自動車，松下電器産業（現：パナソニック），アサヒビール，花王，近畿日本ツーリストの5社は，若者をターゲットにした共同プロジェクト「WiLL（ウィル）」をスタートさせた。各社がWiLLという統一ブランドのもとで新製品を発売し，共同でプロモーションを展開するというもので，業種間での戦略的提携の代表的事例である。しかし，このプロジェクトは結果的に失敗に終わった。

新聞記事データベース（日経テレコンなど），雑誌記事データベース（日経BP記事検索サービスなど）を用いてこのプロジェクトについて調べ，その失敗の原因を考えてみよう。

読書案内 | Bookguide●

伊丹敬之・加護野忠男［2022］『ゼミナール経営学入門（新装版）』日経BP 日本経済新聞出版本部。

　本章で述べたM&Aと戦略的提携について，企業の事業構造戦略の観点，とくに事業の多角化の観点から特徴，狙いなどをわかりやすくまとめている。

動画資料 | Movieguide●

大友啓史監督「ハゲタカ」（2009年，134分）

企業買収をテーマにした映画。日本の大手自動車メーカー「アカマ自動車」買収をめぐって，中国系ファンドと天才ファンド・マネジャーとの攻防戦が描かれる。

オリバー・ストーン監督「ウォール街」(1987 年，126 分)

　ニューヨークのウォール街を舞台に繰り広げられる，一攫千金を夢見る若
手証券マンと冷淡で貪欲な投資家による企業買収を描いた映画。企業が投資
対象と売買される様子や，インサイダー取引などの違法行為が描かれている。

第 3 部

社会の中の企業

CHAPTER 8 企業の社会的責任
9 企業環境とステークホルダー
10 企業倫理とコンプライアンス
11 企業の社会貢献活動

CHAPTER

第 **8** 章

企業の社会的責任

> QUESTION
> 企業はなぜ，社会的責任を要求されるのであろうか？

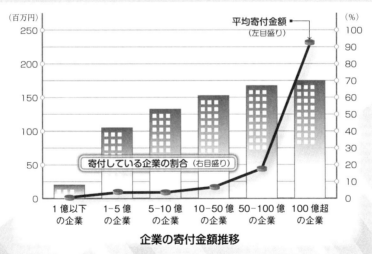

企業の寄付金額推移

出所）国税庁「令和3年度分 会社標本調査」をもとに筆者作成。

　上のグラフは2021年度の日本国内企業の寄付金を，企業の資本金別に分けたものである。企業の規模（資本金）が大きくなるにつれ，寄付を行っている企業の割合と平均寄付金額が大きくなっていることがわかるだろう。なぜ，大企業ほど多くの寄付を行っているのだろう。本章では，企業の社会的責任の背景，原則，内容について取り上げる。

● 149

KEYWORD　企業の社会的責任（CSR）　社会的責任肯定論　社会的責任
否定論　権力・責任均衡の法則　慈善原則　受託原則　経済的責任
法的責任　倫理的責任　社会貢献的責任

1　企業の社会的責任の背景

　企業の社会的責任は，近年では CSR（corporate social responsibility）とも呼ば
れ，関心が高まっている概念である。たとえば，産業界においては，日本経済
団体連合会（以下，経団連 ●Column❷）が 2017 年に改定した企業行動憲章で，
企業の社会的責任について以下のように述べている。

企業行動憲章──持続可能な社会の実現のために
　企業は，公正かつ自由な競争の下，社会に有用な付加価値および雇用の創出と自律
的で責任ある行動を通じて，持続可能な社会の実現を牽引する役割を担う。そのため
企業は，国の内外において次の 10 原則に基づき，関係法令，国際ルールおよびその
精神を遵守しつつ，高い倫理観をもって社会的責任を果たしていく。
　1. 持続可能な経済成長と社会的課題の解決
　2. 公正な事業慣行
　3. 公正な情報開示，ステークホルダーとの建設的対話
　4. 人権の尊重
　5. 消費者・顧客との信頼関係
　6. 働き方の改革，職場環境の充実
　7. 環境問題への取り組み
　8. 社会参画と発展への貢献
　9. 危機管理の徹底
　10. 経営トップの役割と本憲章の徹底

（日本経済団体連合会ウェブサイトより一部抜粋）

　このように，多くの企業が会員として参加している経団連によって，企業が
遵守し実践すべき項目として上記の 10 項目が提唱され，会員企業はこの精神
を遵守し，自主的に実践することを宣言しているのである。

150 ● CHAPTER **8** 企業の社会的責任

Column ㉓　経済三団体

　経済三団体とは，政府の経済政策などに関する経済界の見解を社会に対して提言することをおもな目的とした，経団連，同友会，日商を指している。

　日本経済団体連合会（経団連）は，東証プライム上場の大企業を中心に，1500 社以上の会員企業を擁する経済団体であり，経済界が直面する内外の重要課題について，経済界の意見をとりまとめ，提言することを目的としている。近年まで大学生の採用選考に関する指針（広報活動の開始時期，選考活動に関する開始時期など）を示してきたことでも有名である。

　経済同友会（同友会）は，企業経営者が個人の資格で参加し，約 1500 名の会員を擁する経済団体であり，社会的な諸問題について一企業や特定業界の利害にとらわれない立場から幅広く議論し，政策提言を行うことを目的としている。1956 年に「経営者の社会的責任の自覚と実践」と題した決議を行ったり，2003 年に公表した『第 15 回企業白書』では社会的責任経営を取り上げるなど，社会的責任に関する問題提起を積極的に行ってきた。

　日本商工会議所（日商）は，日本各地にある商工会議所を会員としている団体であり，商工業の振興に寄与するため商工会議所間の意見調整や国内外の経済団体との提携を図る機関である。簿記検定（日商簿記検定）を主催していることでも，よく知られている。

　さらに，経団連の関連団体である企業市民協議会が，2017 年に経団連の会員企業を対象に行ったアンケート調査によれば，「CSR に関する独自の行動規範や倫理綱領」は 90 ％，「CSR 担当役員の任命」は 79 ％，「CSR 専門部署の設置」は 75 ％，「CSR 推進機関（委員会等）の設置」は 71 ％，「従業員を対象とした CSR 教育・研修制度」は 79 ％の企業が，それぞれ取り組んでいる。また，78 ％の企業が CSR への取り組みに関する目標や行動計画を策定し，そのうち 69 ％の企業がウェブサイトや年次報告書上で目標や行動計画を公表している。こうしたことから，CSR 推進に向けた社内体制の整備や制度の導入は相当程度進んでいることがうかがえる。

　企業の社会的責任とは，「企業が社会のさまざまな期待に応えること」を指す。しかし，「企業が社会的責任を果たす」といっても，「事業を営み，税金を納めることこそが企業の社会的責任ではないのか」と考えたことはないだろう

か。

　まさにこの種の議論が，1960年代のアメリカにおいて活発に交わされていた。「企業は経済的利益を超えた社会的責任を持つ」と主張する**社会的責任肯定論**と，「企業が持つ責任は株主に対してのみである」と主張する**社会的責任否定論**との間に論争があったのである。

　社会的責任肯定論の主張は，「企業は利益を獲得することを超え，社会に対して責任を持つ」というものである。したがって，企業は，企業行動が社会に対して与える影響を考慮しなければならないことになる。

　他方，社会的責任否定論の主張は，「企業は株主に対する経済的責任のみを持つのであり，それ以外に関しては政府に任せるべきである」というものである。この主張を端的に示した表現に，「The Business of Business is Business」（企業の事業は収益を上げることだ）という言い回しがある。

　以下ではまず，社会的責任を肯定する主張と否定する主張について確認してみよう。

社会的責任肯定論の主張

　以下の文章は，松下電器産業（現：パナソニック）創業者の松下幸之助によるものである。彼の「企業は社会の公器である」という主張は，広く知られている。

　一般に，企業の目的は利益の追求にあるとする見方がある。利益についての考え方は別のところで述べるが，確かに利益というものは，健全な事業活動を行なっていく上で欠かすことのできない大切なものである。

　しかし，それ自体が究極の目的かというと，そうではない。根本は，その事業を通じて共同生活の向上をはかるというところにあるのであって，その根本の使命をよりよく遂行していく上で，利益というものが大切になってくるのであり，そこのところを取り違えてはならない。

　そういう意味において，事業経営というものは本質的には私の事ではなく，公事であり，企業は社会の公器なのである。

　もちろん，かたちの上というか法律的にはいわゆる私企業であり，なかには個人企業というものもある。けれども，その仕事なり事業の内容というものは，すべて社会につながっているのであり，公のものなのである。

152 ● CHAPTER **8**　企業の社会的責任

だから，たとえ個人企業であろうと，その企業のあり方については，私の立場，私の都合で物事を考えてはいけない。常に，そのことが人々の共同生活にどのような影響を及ぼすか，プラスになるかマイナスになるかという観点から，ものを考え，判断しなくてはならない。（中略）

"企業の社会的責任"ということがいわれるが，その内容はその時々の社会情勢に応じて多岐にわたるとしても，基本の社会的責任というのは，どういう時代にあっても，この本来の事業を通じて共同生活の向上に貢献するということだといえよう。

こうした使命観というものを根底に，いっさいの事業活動が営まれることがきわめて大切なのである。（中略）

企業は社会の公器である。したがって，企業は社会とともに発展していくのでなければならない。企業自体として，絶えずその業容を伸展させていくことが大切なのはいうまでもないが，それは，ひとりその企業だけが栄えるというのではなく，その活動によって，社会もまた栄えていくということでなくてはならない。また実際に，自分の会社だけが栄えるということは，一時的にはあり得ても，そういうものは長続きはしない。やはり，ともどもに栄えるというか，いわゆる共存共栄ということでなくては，真の発展，繁栄はあり得ない（松下［2001］40-44, 64-65 頁）。

社会的責任否定論の主張

次の文章は，経済学者ミルトン・フリードマンの社会的責任を否定する主張である。

最近になって，企業経営者や労働組合の幹部は株主や組合員の利益を考えるだけでなく，「社会的責任」を果たすべきだとの見方が広まっている。だがこれは，市場経済というものを根本的に見誤った主張だと言わざるを得ない。市場経済において企業が負うべき社会的責任は，公正かつ自由でオープンな競争を行うというルールを守り，資源を有効活用して利潤追求のための事業活動に専念することだ。これが，企業に課せられたただ一つの社会的責任である。（中略）

株主の利益を最大化すること以外の社会的責任が仮に経営者にあるとして，それは何なのか。一企業の一介の経営者に，何が社会の利益になるのかを決められるのだろうか。また社会の利益に貢献するためなら，会社や株主はどの程度の負担を引き受けるべきだと言えるのだろうか。経営者というのは仲間内で選ばれ，たまたま企業を運営しているに過ぎない。そういう人に，税率の決定や予算配分など公的な仕事をさせるようなものではないか。企業経営者は株主の僕ではなく社会の僕だというなら，民主主義社会においては，選挙を経て任命される公的手続きの対象となるべきだろう。

（中略）

　なお，社会的責任論に関しては，個人的な立場からもぜひ言っておきたいことがある。世間には，企業は慈善事業を支援すべきであり，大学に寄付すべきだという意見があるようだ。しかし企業がそのような寄付をするのは，市場経済においてはまことに不適切な資本の使いみちであることを，ここではっきり言っておきたい。

　企業は株主の道具であり，企業の最終所有者は株主である。もしも企業が何か寄付をしたら，その行為は，株主が自分の資金の使いみちを決める自由を奪うことになる。ただ会社の寄付は法人税の控除対象となるので，株主は自分で寄付するより会社にしてもらう方が，寄付額が増えてよいと考えるかもしれない。しかしいちばんよいのは法人税をなくすことである。法人税には手を付けずに，慈善事業や教育機関への寄付について税控除を認めるのは，本末転倒であろう。寄付をするのは，自由社会で財産を最終的に所有している個人であるべきだ（フリードマン［2008］248-252頁）。

　両方の主張を確認して，どちらの主張に説得力があると感じたであろうか。

　社会的責任肯定論は，企業は社会の公器であり，企業の目的は利益の追求ではなく，社会の発展に寄与することであると主張される。その根拠として，社会を犠牲にして企業が発展することは長期的には不可能であり，両者は共存関係にあることが主張される。

　これに対し，社会的責任否定論は，企業は利益を上げることに専念すべきであり，そのことによって引き起こされる問題は，法律や社会の他の組織に任せられるべきであると主張し，肯定論がいうところの社会的責任を企業が果たそうとすることのデメリットを指摘している。代表的な根拠は以下の3点である。第1に，企業が社会的責任を果たすためのコストを負担することは，市場メカニズムを阻害し，社会全体の経済効率が低下する。第2に，企業ないしは企業経営者は経済活動の専門家であって社会問題の専門家ではないため，社会問題に対応するには不適切である。さらに，企業経営者が政府をさしおいて社会問題に対応する政治的合法性が存在しない。第3に，企業が経済的領域だけでなく，非経済的領域まで権力を拡大することは，企業に無責任な権力を与えてしまう。

　他方，否定論に対する肯定論の代表的な反論は，以下の3点である。第1に，市場メカニズムはそもそも完全ではなく，外部不経済が存在する。法律も制定されるまでに時間がかかるため，それまでの間は社会からの要求を無視し，社

154 ● CHAPTER 8　企業の社会的責任

会問題を拡大させてしまうことになる。また，たとえ特定の社会問題に関する法律が制定されたとしても，法の解釈は企業ごとに異なる可能性があり，企業の活動を完全にコントロールすることは不可能である。第2に，企業は社会問題の専門家ではないというが，環境汚染のように，企業活動が原因となっている社会問題に関しては専門的な知識を持っているといえるし，対応する責任がある。第3に，企業があらゆる領域に権力を拡大することは問題ではあるが，すでに権力を拡大している領域に関しては，企業は責任を持つべきである。

② 権力・責任均衡の法則と企業の社会的責任の原則

　ここまでの説明で，社会的責任肯定論・否定論の主張ともに，それぞれ一理あることが理解できただろうか。ここでは，両者の主張を，**権力・責任均衡の法則**を用いて整理してみよう。

　権力・責任均衡の法則とは，「社会的責任は社会的権力に伴うものであり，企業はさまざまな権力を保有しているがゆえに，その権力に伴う責任が存在する。そして，もし，社会的責任を果たさない場合，長期的には企業の持つ社会的権力は喪失へと導かれる」というものである（Davis［1960］）。つまり，企業は社会的権力を持っているがゆえに社会的責任を果たさなければならない。そして，企業が長期的に存続・成長するためには，企業の持つ社会的権力に見合った社会的責任を果たさなければならない，ということである。

　社会的責任否定論は，企業権力の無秩序な拡大を抑制し，企業を経済活動のみに集中させることを主張している。その意味では，上述の権力・責任均衡の

---

glossary

24　外部不経済　　ある経済主体の経済活動が他の経済主体に影響を及ぼすことを外部性といい，その中で他の経済主体に利得を与えるものを外部経済，損失を与えるものを外部不経済という。外部経済の例としては，果樹園のそばに養蜂業者がある場合，ミツバチが受粉を促してくれるために，果樹園の生産量の増加につながることなどをいう。他方，外部不経済の例には，企業の工場建設に伴い公害問題が発生した場合，地域住民が損失を被ることなどがある。

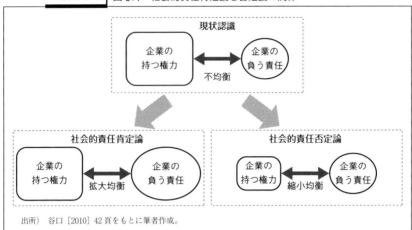

図8.1 社会的責任肯定論と否定論の関係

出所）谷口［2010］42頁をもとに筆者作成。

法則と矛盾しない。社会的責任否定論では，社会における企業の望ましい役割と，その役割に必要な権力を先に想定し，それに対応した責任のみを企業に負わせようとしているのである。つまり，権力・責任の縮小均衡を主張していることになる。

しかし，社会的責任肯定論では，企業が社会とかかわりを持たずに経済活動を行うことはできないと考える。雇用問題や公害問題等，社会問題の大部分は企業と密接なかかわりを持っているからである。このため，企業権力を経済的な影響力のみに限定して，社会的責任を否定することは非現実的である。そのため，現実に存在する企業の社会的影響力に着目し，その企業の権力に見合った責任をとらせることを主張するのが社会的責任肯定論といえる。つまり，権力・責任の拡大均衡を主張しているのである（図8.1）。

興味深いことに，社会的責任肯定論・否定論ともに，現状の認識として，企業の権力とそれに伴う責任に関する不均衡（権力＞責任）が存在することについて，意見の相違はない。しかし，社会的責任肯定論は，現状においてすでに存在する社会問題に注目し，否定論は，理想的な企業と社会の関係に注目しているのである（表8.1）。

では，具体的に求められる責任の指針となる原則とは，どのようなものであろうか。この社会的責任の原則として，**慈善原則**（charity principle）と**受託原則**（stewardship principle）の，2つをあげることができる（表8.2）。

CHART 表8.1 社会的責任論肯定論と否定論の比較

	社会的責任肯定論	社会的責任否定論
現状認識	現状では，企業権力と企業責任のバランスがとれていない	
権力と責任の関係	企業が現実に保有する権力に責任を対応させるべきである	理想的な権力を想定し，その権力に責任を対応させるべきである
方向性	権力と責任の拡大均衡	権力と責任の縮小均衡
前　提	市場メカニズムの不完全性に注目する	市場メカニズムに全幅の信頼を置く

出所）　筆者作成。

CHART 表8.2 慈善原則と受託原則

	慈善原則	受託原則
内　容	・企業は自発的に社会に対する援助をしなければならない	・公共の受託者としての企業は，企業の意思決定や政策によって影響を受けるすべての人々の利害を考慮しなければならない
活動のタイプ	・社会貢献活動 ・社会的善を促進するための自発的な活動 ・社会問題の解決のための取り組み	・企業と社会は互恵関係にあることを認識 ・社会におけるさまざまなグループの利害と要求を調整
キーワード	・企業市民	・啓発された自己利益

出所）　Lawrence and Weber［2016］p. 48 をもとに筆者作成。

　慈善原則とは，「社会の富を持つ人間は恵まれない人間に貢献しなければならない」という古くから存在する概念を企業に適用し，企業であっても一市民として恵まれない人間に貢献しなければならないという原則である。この立場は，企業市民（corporate citizenship）という表現に，端的に表れている。

　他方，受託原則とは，企業の持つ資源を株主だけでなく，社会全体の利益となるように用いなければならないという原則である。受託とは，預けられたものを責任を持って管理することを指す（▶第**2**章 glossary **04**）。企業経営者はヒト・モノ・カネ・情報といった広大な資源を社会から受託しており，社会に対して広範かつ多大な影響力を有する。受託原則は，企業の活動が社会全体の利益となることを要求するものであり，企業を取り巻く社会と調和した企業経営

の必要性を主張している。

　この考え方は，啓発された自己利益（enlightened self-interest）という表現にも表れている。啓発された自己利益とは，社会全体を考慮しつつ自らの利益を追求するという考え方であり，単に短期的な利益を得るための利己心ではなく，長期的な視点に立った利己心を意味している。

3 企業の社会的責任の内容

　企業の社会的責任は，その内容を経済的責任，法的責任，倫理的責任，社会貢献的責任の4つに分類することができる（Carroll［1979］）。

　第1の**経済的責任**は，社会が必要とする製品やサービスを製造し，それを適正な価格で販売する責任である。適正な価格とは，製品やサービスの本当の価値に相当すると社会が考えると同時に，企業に存続と成長を保証し，株主に十分な利益をもたらす価格である。たとえば，企業の倒産は，この経済的責任を果たしていなかった結果と考えられる。

　第2の**法的責任**は，企業がさまざまな活動を行う際に法を犯さない責任である。近年，この責任を果たすための活動は，法令や社内の規定を遵守する活動（法令遵守活動）として位置づけられる。たとえば，粉飾決算，談合などの違法行為を働いた企業は，この責任を果たしていないことになる。

　第3の**倫理的責任**は，いまだ法として明文化されてはいないものの，社会から望まれる規範に沿って企業活動を行う責任である。たとえば，製品の安全性に疑いが持たれる際に自主的に製品回収を行うことなどを指す。倫理的責任は，国や時代によって倫理の内容が異なるため，4つの責任の中で最も対応が難しいものである。

　第4に，**社会貢献的責任**は，道徳や倫理として求められるわけではないが，社会が企業に担ってもらいたいと望む役割を自発的に遂行する責任である。一見，責任という言葉をあてることは適当でないように思えるかもしれないが，企業に求められているという意味では責任として考えることが適当である。社会貢献的責任の具体的活動としては，寄付活動，文化支援活動（企業メセナ），

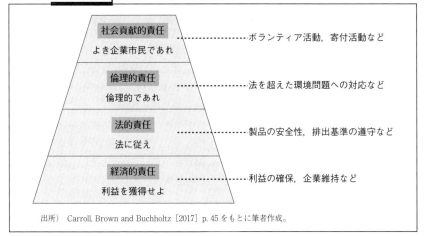

図8.2 企業の社会的責任のピラミッド・モデル

出所) Carroll, Brown and Buchholtz [2017] p. 45 をもとに筆者作成。

企業ボランティア等が含まれる。倫理的責任との違いは，当該活動を果たさない場合に非倫理的であると社会から批判されるか否かにある。

以上の4つの責任の関係を示した図8.2は，社会的責任のピラミッド・モデルと呼ばれる。このモデルでは，経済的責任，法的責任が基礎に位置し，その上に倫理的責任，社会貢献的責任がある。前節で述べた社会的責任の原則との関係を見ると，経済的・法的・倫理的責任はおもに受託原則に対応し，社会貢献的責任はおもに慈善原則に対応している。

法的責任と倫理的責任の線引きは時代や地域によって異なる。ある時代においては倫理的責任であったものが，社会の期待の高まりに対応して法制度化され，法的責任に移行することもある。この倫理的責任から法的責任への移行プロセスにおいては，その責任の具体的内容が社会問題として顕在化（表面化）することが多い（▶第10章）。たとえば，製品の安全性に関して，特定の企業が問題を発生させると，当該企業への批判を伴いながら，その問題についての社会的関心が高まり，社会問題化する。さらに，その社会問題に対応して，政府が法律を制定することになる。

また，企業の社会的責任は，上記の分類に従えば，①広義の社会的責任（経済的責任＋法的責任＋倫理的責任＋社会貢献的責任），②企業の裁量に注目した責任（倫理的責任＋社会貢献的責任），③企業活動の前提に注目した責任（経済的責任＋法的責任），④狭義の社会的責任（社会貢献的責任）という4つの定義に分類でき

3 企業の社会的責任の内容 ● 159

Column ㉔　企業の寄付に関する日米の判例

　本章の扉頁で企業の寄付に関して株主が不満を持つ可能性について指摘したが，じつはこの問題については，アメリカ，日本ともに実際に判例が存在する。

　アメリカのニュージャージー州で水道・ガス装置の製造・販売を営む A. P. SMITH は，プリンストン大学への 1500 ドルの寄付を行ったが，これに対して株主が異論を唱えたため，経営者自らが寄付が有効であることの確認を求める訴訟を提起した。これに対して，裁判所は 1953 年に，会社の行為を支持する判決を提示した。その内容は，「少数の個人に富が集中されているときは，個人がフィランソロピーの中心であったが，個人から企業へと富の所有が移った今日，企業が市民としての役割を担うのは当然である」というものであった。

　他方，日本では，八幡製鐵（現：日本製鐵）が 1960 年に 350 万円の政治献金を行ったことを株主が定款違反とし，株主代表訴訟が提起された。これに対して，裁判所は 1970 年に，会社の行為を支持する判決を提示した。その内容は，「社会的実在たる会社が社会的作用に属する行為を負担することは，間接的に会社の利益となり，目的の範囲内に含まれる」というものであった。

る。第 1 節で確認した社会的責任肯定論と否定論の論争に照らし合わせてみると，厳密にいえば否定論の支持者は企業の社会的責任すべてを否定しているわけではない。否定論の支持者は，おもに④の社会的責任に対して批判を行い，③を企業の社会的責任として主張するのである。

　このように，企業の社会的責任の概念のイメージは論者によって異なるため，文献を読む際や，議論する際には，各人が抱いている企業の社会的責任の具体的内容を確認しておくことが望ましい。

EXERCISE

① 新聞記事データベース（日経テレコンなど）を用いて，倫理的責任から法的責任へと移行した例として，セクシュアル・ハラスメントを取り上げ，①日本でセクシュアル・ハラスメントという概念が最初に提示された記事，②セクシュア

ル・ハラスメントという概念が注目された事件，③セクシュアル・ハラスメントに関連する法律などを確認してみよう。
② 社会的責任肯定論と社会的責任否定論いずれかの立場から議論をしてみよう。その際，①どちらが現実主義でどちらが理想主義なのか（現実主義と理想主義の定義によって答えは変わるだろう），②社会的責任肯定論を主張する論者の特徴，社会的責任否定論を主張する論者の特徴を考えてみよう。

読書案内 | Bookguide ●

J. E. ポスト＝A. T. ローレンス＝J. ウェーバー（松野弘・小阪隆秀・谷本寛治監訳）［2012］『企業と社会――企業戦略・公共政策・倫理』上・下，ミネルヴァ書房。
　アメリカの大学で用いられる企業の社会的責任論の代表的なテキストの第10版（2002年）を翻訳したものである。

動画資料 | Movieguide ●

マーク・アクバー監督「ザ・コーポレーション」（2004年，145分）
　映画監督のマイケル・ムーア，言語学者のノーム・チョムスキー，経済学者のミルトン・フリードマン，経営学者のピーター・ドラッカー，ジャーナリストのナオミ・クラインなど，著名人が資本主義社会における企業の役割，企業の社会的責任についてインタビューに答えるドキュメンタリー映画である。

CHAPTER

第9章

企業環境とステークホルダー

QUESTION
企業は,周辺の地域や人々など自社を取り巻く環境と,どのようにかかわっているのだろうか？

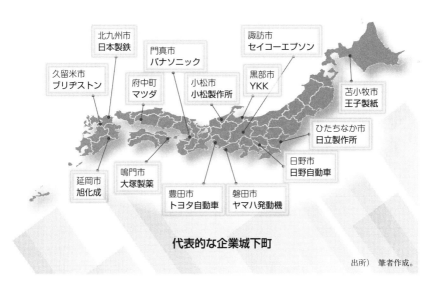

代表的な企業城下町

出所）筆者作成。

　上の地図は,日本の代表的な企業城下町を示している。なぜ,これらの市町を企業城下町と呼ぶのだろうか。本章では,企業を取り巻く環境と,環境が企業に与える影響,企業が環境に与える影響について取り上げる。

KEYWORD	マクロ環境　ミクロ環境　セプテンバー・アプローチ　ス
	テークホルダー・アプローチ　ステークホルダー　**株主**　**消費者**　**従業**
	員　**地域社会**　**企業城下町**　ステークホルダー・マネジメント

1 企業環境とは

　企業は単独で存在しているのではなく，企業を取り巻く多様な環境の中で存在している。企業が存続・成長するためには，その環境との間で取引や交換といった相互作用を行わなければならない。また，環境が変化した場合，その変化に対応して相互作用も変化するので，企業はその変化に対応しなければならない。環境に対して受動的に適応する場合もあるだろうし，環境に対して企業から能動的に働きかける場合もあるだろう。いずれにせよ，企業にとって環境は考慮するべき重要な対象なのである。

　上述のような企業による対応の観点から，企業環境は大きく分けるとマクロ環境とミクロ環境に分けることができる。**マクロ環境**とは，特定企業には統制が困難である環境を指す。そのため，マクロ環境に対して企業は，環境が自社に与える影響を検討したり，環境の長期的な変化を予測するといった形でアプローチする。たとえば，海外に事業を展開するにあたって進出先国を検討する際は，こうした視点から各国の状況が調査される。大学受験でいえば，受験者数，入試科目，入試日程などの要因が，マクロ環境に相当する。ある学生がこれらの要因を気に入らないからといって，個人的に大学に働きかけてそれらを変更させることはほとんど不可能であろう。

　他方，**ミクロ環境**とは，特定企業にとって統制が可能な環境を指す。そのため，ミクロ環境に対しては，企業は，環境が自社に与える影響を検討するだけでなく，特定の目的を達成するためにその環境に対してどのように働きかければよいかをも検討する。上の大学受験の例でいえば，高校の担任の先生，勉強場所，保護者などの要因は，ミクロ環境に相当する。これらの要因に対しては，自分の大学受験の成功に有利な存在となるよう，受験生のほうから積極的に働

きかけていくことが可能である。

本章では，マクロ環境を捉えるアプローチとしてセプテンバー・アプローチを紹介し，その後，ミクロ環境を捉えるアプローチとして，ステークホルダー・アプローチを紹介する。

 セプテンバー・アプローチ

セプテンバー・アプローチ（SEPTEmber approach）は，社会的・経済的・政治的・技術的・生態学的環境の頭文字をまとめたものである（図9.1）。

第1の社会的環境（social environment）は，人口構成，文化，人々の生活スタイル，社会における価値観・考え方などを要因として構成される。典型的には，国の違いをあげることができるだろう。企業の国際化が進展している現在，複数の国にまたがって企業活動を展開している企業は多い。その際には，この社会的環境に注意を払う必要がある。ある国で常識とされる価値観・考え方が，他の国では通用しない可能性も存在する。社会的環境は他のマクロ環境に比べると安定しているが，長期的には変化する。たとえば，女性の社会進出，出生率の低下，高齢化等はこの社会的環境の変化として捉えることができる。

第2の経済的環境（economic environment）は，国のGDP，為替，金利，失業率，国際貿易収支などを要因として構成される。現代において経済的環境は，国内にとどまらずグローバルな広がりを持っており，一国だけを考慮すればよいというわけではなくなっている。実際，2008年に発生したリーマン・ショック（●第3章 glossary 07）は，世界経済に大きな影響をもたらした。

第3の政治的環境（political environment）は，法律，選挙，政府・地方公共団体等の政策などといった政治的な事柄を要因として構成される。法律によって，企業競争は制限されることもあるし，逆に，促進されることもある。国家の法体制や政治的安定性は，多国籍企業にとって進出先国を決める際に重要な要因となる。たとえば，2016年イギリスの国民投票による欧州連合（EU）からの脱退の決定は，この政治的環境の変化として捉えることができる。

第4の技術的環境（technological environment）は，科学技術の発展や技術革新

CHART | 図 9.1 セプテンバー・アプローチ

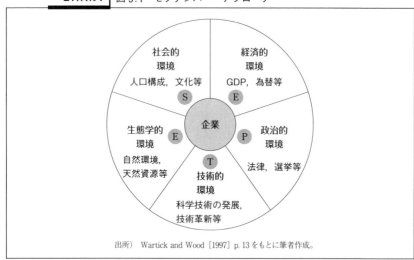

(出所) Wartick and Wood [1997] p. 13 をもとに筆者作成。

などを要因として構成される。製品や生産の技術だけではなく，情報処理や組織管理などに関連する技術も含まれる。素材や製法の技術革新によって，産業が急激に成長することがある反面，従来の製品が革新的な製品に取って代わられる可能性も存在する。たとえば，AI（Artificial Intelligence，人工知能）の進展は，文書・画像・音声認識などをもとにした高度なイノベーションを可能にし，企業経営に大きな影響を及ぼしている。これは，技術的環境の変化として捉えることができる。

　第5の生態学的環境（ecological environment）は，自然環境，ないしは天然資源を要因として構成される。一般的な環境問題という用語における「環境」は，この生態学的環境のことを指す。日本において，1960年代から1970年代にかけて公害が問題となり，この生態学的環境に対する関心が高まるようになった。たとえば，地球温暖化現象は，この生態学的環境の変化として捉えることができる。

　このようなマクロ環境を一企業が統制するのはきわめて困難であるが，それにもかかわらず，その変化は，企業活動に大きな影響を与える可能性を持つ。そのため，企業はこの5つの環境に対して注意を払う必要がある。その際には，複数のマクロ環境の変化を考慮しなければならない。たとえば，次の記事は，

「働き方」という社会的環境の変化と，テレワークを可能にする「IT」という技術的環境の変化を反映した企業の対応である。

NTT，単身赴任 800 人解消

　NTT は 2022 年 7 月に「リモートスタンダード制度」を導入した。テレワークが可能な社員について，従来の「勤務場所から片道 2 時間以内の居住」の条件をなくし，出社時の交通費の上限も撤廃。遠隔地に異動になっても必ずしも転居する必要がなくなった。これまでに 800 人以上が単身赴任を解消した。全国に拠点のある NTT は転勤が多く，都市部だけでも単身赴任者が約 1500 人いた。（中略）現在，制度の対象は主要グループ会社の半数にあたる 3 万人だが，23 年度以降グループ 19 万人に順次拡大していく。

——————『日本経済新聞』2023 年 2 月 4 日

---

③ ステークホルダー・アプローチ

　第②節ではマクロ環境を捉えるアプローチを確認したが，これに対して，ミクロ環境とは，特定企業にとって統制が可能な環境であり，企業は特定の目的を達成するためにその環境に対して働きかけることが可能となる。つまり，ミクロ環境においては，環境が企業に影響を与えるだけではなく，企業も環境に対して影響を与えるという相互作用関係が存在する。この相互作用を利害（stake）として捉えた視点が，**ステークホルダー・アプローチ**である（図9.2）。

　ステークホルダー・アプローチでは，当該企業との間にさまざまな利害を持つ集団（ステークホルダー）に基づき，企業環境を分類する（Freeman［1984］）。一般に，ステークホルダーの定義には，狭義と広義の 2 つが存在する（Mitchell, Agle and Wood［1997］）。

　狭義のステークホルダーとは，「企業の継続的な存続のために企業が依存する個人・グループ」を指す。具体的には，従業員，消費者，株主，取引先等があげられる。他方，広義のステークホルダーとは，「企業目的の達成に影響を与えることのできる，もしくは企業目的の達成によって影響を受けるグループ」である。具体的には，狭義のステークホルダーに加えて，NPO（非営利組

CHART 図9.2 ステークホルダー・アプローチ

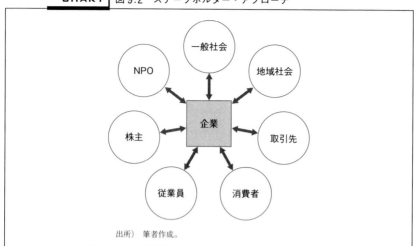

出所）筆者作成。

織），地域社会や一般社会があげられる。

　狭義のステークホルダーはいずれも，企業活動そのものに不可欠な存在であるため，これまでも企業経営においてある程度考慮されてきた。しかしステークホルダー・アプローチでは，これら狭義のステークホルダーにとどまらず，企業目的の達成，つまり，企業行動によって影響を受けるグループをも考慮に入れている点が特徴的である。ここでは，企業行動によって影響を受けるグループが，将来的には企業行動へ影響を与える可能性も重視されているのである。以下では，代表的なステークホルダーである，株主，消費者，従業員，地域社会について簡単に確認してみよう。

株　主

　企業経営，とくにコーポレート・ガバナンスにおける株主の役割などについては，すでに第 **2** 章・第 **3** 章において学習しているので，ここではステークホルダーとしての株主の特徴について説明する。

　株主とは，株式会社の法的な所有者である。企業の資本金を分割した株式を購入することにより，会社の資本金の出資者となり，企業活動に不可欠な資金を提供している。

　株主はおもに2つの種類に分けられる。第1に，個人投資家である。個人投

資家は証券会社を通じて株式会社の株式を直接購入し保有する。みなさんが株式を購入する場合には，個人投資家となる。あるいは，投資信託（ファンド）を購入したり年金基金に加入することにより，間接的に株式を所有することもある。

第2に，機関投資家である。機関投資家とは，投資を行う企業のことを指す。具体的には，銀行や保険会社，証券会社などである。個人投資家に比べ取扱高が非常に大きく，株価に影響を与えることがしばしばある。

株主はおもに以下の2つの目的から株式を購入する。第1に，経済的な利益の獲得である。株式を購入した場合の利益は，購入した株の価値（株価）が上昇することによる利益と，会社が株主に分配する配当による利益がある。前者をキャピタル・ゲイン，後者をインカム・ゲインと呼ぶ。

第2に，企業支配権の獲得である。株式の保有割合によって行使可能な権利（議決権など）は変わるが，投資家は，企業の株式を大量に購入することにより企業の支配権を手に入れようとする。

上記のように，ステークホルダーとしての株主は，自らの資金提供の見返りに経済的な利益を獲得すること，すなわち株価が維持され，適切な配当が得られることを期待する。このことに付随して，株式を売買する際の判断基準にするために，適切な情報開示も要求する。

消費者

消費者とは，対価を払って企業の製品やサービスを最終的に消費する主体を指す。みなさんも，消費者というステークホルダーの一員である（▶序章）。

消費者は，企業の製品やサービスを購入する際に，しばしば不満足を感じることがある。まず，製品やサービスが複雑になるにつれて，消費者が適切に製品やサービスを選択することが困難になってきている。たとえば，携帯電話のプランを選択する際に，どれが自分の利用状況に一番適したプランなのかを判断するのに苦労した経験はないだろうか。また，購入前に製品の品質を完全に確かめることはほぼ不可能であろう。店頭でパソコンの内部を開け，すべての部品の動作確認をするのは非現実的である。さらに，企業が製品やサービスを宣伝する際には，正確な機能に関する情報提供よりも情緒的な感情に訴えよう

CHART 表9.1 消費者の8つの権利

権　利	内　容
基本的ニーズが保障される権利	十分な食料，衣服，住居，医療，教育，公共サービスなど，基本的で必須な製品やサービスを得られること
安全を求める権利	健康や生命を脅かす製品やサービスから保護されること
知らされる権利	詐欺的，不正直で，誤解を招くような情報，広告，表示などから保護され，事実に基づく選択が可能になる情報が提供されること
選択する権利	可能な限り競争的な価格で多様な製品・サービスの提供が保障されること
意見が反映される権利	政府の政策を立案する場合に消費者の利益が配慮され，公正で迅速な扱いが保障されること
補償を受ける権利	まがい物や不当表示がある製品やサービスの補償を含め，消費者の利益が補償されること
消費者教育を受ける権利	基本的な消費者の権利・責任を認識し，製品やサービスについて十分な情報に基づき選択するのに必要な知識やスキルを得ること
健康的な環境が確保される権利	将来の世代の福祉を脅かさない環境で生活し働くこと

出所）　国際消費者機構ウェブサイト。

とする可能性が高く，結果的に誇張が含まれる場合が多くある。つまり，製品やサービスを提供する企業のほうが，購入する消費者よりも多くの情報を持っているのである。そのため，製品の品質保証に関しては企業を信頼するしかない。

　このような状況は古くから問題になっており，1962年，アメリカのジョン・F. ケネディ大統領が「消費者の権利保護に関する大統領特別教書」において，消費者の権利（安全を求める権利，知らされる権利，選択する権利，意見が反映される権利）を宣言した。これが消費者保護の基本理念になったといわれている。その後，消費者団体の国際的組織である国際消費者機構が1983年に，消費者の8つの権利を提唱した（表9.1）。日本においても，2004年に改正された消費者基本法の基本理念において，これらの権利が明記されている。

　上記のように，ステークホルダーとしての消費者は，製品やサービスを購入する見返りに，その価格に見合った品質の製品・サービスを期待する。また，消費者を危険にさらさないような製品・サービスの安全性も要求する。

170 ● **CHAPTER 9**　企業環境とステークホルダー

従業員

従業員とは，雇用契約によって企業に雇われて業務に従事している人を指し，企業に対して労働力やスキルを提供しその対価として賃金を獲得する労働者である。従業員は，製品の製造やサービスの提供に不可欠な存在であり，企業にとって決定的に重要なステークホルダーである。みなさんもアルバイトをした経験があるかもしれないが，その場合には，従業員というステークホルダーとして企業にかかわっているのである。

同時に，従業員にとっても企業は生活の基盤となる賃金を獲得する重要な場所であり，とりわけ正社員であれば給与や仕事内容に不満があっても，転職することは容易ではない。株主がA企業の株を売り，代わりにB企業の株を買うという行為や，消費者がA企業の製品からB企業の製品に買い替える行為と比較すれば，その難しさが理解できるだろう。

そのため，労働搾取工場のような労働環境が問題になることがある。労働搾取工場（スウェットショップ，sweatshop）とは，幼い子どもを含む従業員が長時間低賃金で労働させられているような劣悪な労働環境の工場を指す。多くの場合，安全基準も低く，危険な労働環境にある（Column㉕）。日本においても，近年ではブラック企業が問題となっているように，従業員を酷使する企業は批判を受ける。

従業員は個々人で企業と労働条件を交渉することが難しいため，労働組合を結成し，企業と団体交渉する権利が法律で認められている。労働組合とは，労働者が主体となって，自主的に労働条件の維持・改善や，その他経済的地位の向上を図ることを主たる目的として組織する，団体またはその連合体である。労働者による連帯組織であり，賃上げ，人員削減の回避，労働環境の向上などの共通目標達成を目的とする。

上記のように，ステークホルダーとしての従業員は，自らの労働力の提供の見返りに，従業員が働く職場の安全性や快適性，公正な賃金の獲得，または雇用の維持を期待する。

Column ㉕　ナイキのスウェットショップ問題

　ナイキはスニーカーなどのスポーツ関連商品を扱うアメリカ企業である。オレゴン州の本社では研究開発やマーケティングを行うが，自社では生産設備を持たず，生産は海外の下請け企業に委託している。

　1996 年，ナイキが製造委託しているベトナムなどの下請け工場における，強制労働，児童労働，低賃金労働，長時間労働，劣悪な労働環境，セクシュアル・ハラスメント等の問題が，雑誌，テレビ・ドキュメンタリーなどで明らかになった。たとえばベトナムの工場では，1 週間で 65 時間の労働を強制され，週の賃金が約 10 ドルであった。また，現地の法的基準を最大 177 倍超過した発がん物質が一部で確認され，従業員の 77 ％は呼吸器系疾患に苦しんでいた。このために，ナイキに対して，アメリカの NGO 団体や学生たちを中心にインターネットを通じて反対キャンペーンが起き，ナイキ製品の不買運動や訴訟問題などに発展した。

　1998 年，ナイキ社の創業者であり CEO のフィル・ナイトは，6 つの約束と呼ばれるスウェットショップ（労働搾取工場）問題に関する対策を発表した。契約工場へのアメリカ並みの安全基準の適用，最低就労年齢の引き上げ，工場監査への NGO の参加などである。また，下請け工場の労働環境を調査，公表するグローバル・アライアンスを設立し，改善に迅速に取り組める体制を整えた（クライン［2001］，Greenhouse［1997］）。

┃地域社会┃

　地域社会とは，特定の企業の事業活動によって影響を受ける地理的領域ないしは行政上の管轄区域のことを指す。多国籍企業は，多くの国や地域にまたがって事業を営んでいるため，多くの個別の地域社会について考慮する必要がある。

　企業は，その地域において，質の高い従業員が雇用でき，公共インフラが整い，交通機関も発達していれば，その地域を活動領域にしたいと考える。他方，地域社会は，工場が誘致されると，交通渋滞や公害などが発生する可能性も生じるとはいえ，地域住民の雇用が確保され，税収も増加するため，補助金等の優遇措置をとるなどの誘致活動が行われることも多い（**Column ㉖**）。

172 ● CHAPTER 9　企業環境とステークホルダー

地域社会にとって，工場の誘致は大きな影響を与える。たとえば，以下の2つは，2024年12月に計画されている台湾半導体メーカーTSMCの熊本県菊池郡菊陽町への進出に関する新聞記事である。

TSMC・ソニー，熊本に工場

　世界最大の半導体生産受託会社である台湾積体電路製造（TSMC）とソニーグループが，半導体の新工場を熊本県に共同建設する計画の大枠を固めた。総投資額は8000億円規模で，日本政府が最大で半分を補助する見通し。TSMCの先端技術を使い，自動車や産業用ロボットに欠かせない演算用半導体の生産を2024年までに始める。

――――『日本経済新聞』2021年10月9日

沸き立つ熊本県　台湾と連携に熱

　（前略）菊陽町で建設中の工場の投資額はおよそ1兆円。1700人が働く見通しで，新卒・中途で約700人の雇用も見込まれる。TSMCの進出が決まった21年秋以降，熊本県や周辺自治体，地元経済界は地域を挙げて受け皿作りを進めてきた。熊本市は22年秋，TSMCや半導体関連産業向けの集合住宅用地として市有地売却を決めた。サプライヤーも含めた工場用地が足りないとみて，県は工業用地確保に向けて農地を活用する調整会議を22年12月末に発足させた。熊本市も同月，市街化調整区域活用などで工業用地20ヘクタール規模を確保する方向性を示した。大西一史市長は「用地確保や住環境面の不安を取り除きたい」と話す。熊本大学は24年度に事実上の「半導体学部」ともいえる枠組みを新設する。TSMCや関連産業のさらなる進出に備え，人材供給機能の強化も進んでいる。「TSMC進出を契機に台湾との関係を一層深め，幅広く交流したい」。台湾でトップセールスに臨んだ蒲島郁夫知事は行く先々でこう繰り返した。TSMCとの縁で台湾の経済界や行政との友好関係を一層深め，農産物の輸出やインバウンド（訪日外国人）誘致につなげる青写真を描く。

――――『日本経済新聞』2023年1月15日

　一連の記事から企業が地域社会に与える影響が大きいことが理解できるだろう。このように，ステークホルダーとしての地域社会は，地域住民の労働力や公共インフラの提供の見返りに，納税，雇用の確保，環境保全（交通改善，公害防止）への協力などを期待する。

3　ステークホルダー・アプローチ　● 173

Column ㉖ 企業城下町

　企業城下町とは，特定の企業が自治体の産業の大部分を占めている都市を，城を中心にした日本の都市形態になぞらえたものである。企業城下町を形成する企業の多くは，工場での生産により多数の雇用を生み出す製造企業である。下表の都市では，そうした企業が地域に与える影響力は非常に大きく，企業名が地名になっていたり，親子二代にわたってその企業で働いている場合も多い。

　これらの企業城下町では，しばしば，当該企業を支援する風土が醸成される。たとえば，1973 年のオイル・ショックの際，苦境に陥った東洋工業（現：マツダ）を助けようと，地元広島でマツダ車を積極的に購入する運動（バイ・マツダ運動）が広まったことがある。

表　代表的な企業城下町

苫小牧市（北海道）	王子製紙	黒部市（富山県）	YKK
諏訪市（長野県）	セイコーエプソン	小松市（石川県）	小松製作所
ひたちなか市（茨城県）	日立製作所	日野市（東京都）	日野自動車
磐田市（静岡県）	ヤマハ発動機	豊田市（愛知県）	トヨタ自動車
門真市（大阪府）	パナソニック	府中町（広島県）	マツダ
鳴門市（徳島県）	大塚製薬	北九州市（福岡県）	日本製鉄
久留米市（福岡県）	ブリヂストン	延岡市（宮崎県）	旭化成

ステークホルダー・マネジメント

　ステークホルダー・アプローチによれば，企業はステークホルダーに取り囲まれており，ステークホルダーは企業の存続に影響を与え，同時に，ステークホルダーは企業によって影響を受ける。そして，企業は自らの目的の達成のために，ステークホルダーからの影響を考慮すると同時に，ステークホルダーに働きかける必要がある。このようなステークホルダー・アプローチに基づいた経営のあり方を，**ステークホルダー・マネジメント**（stakeholder management）と呼ぶ。

　ステークホルダー・マネジメントの基本原則は，以下のように要約できる。企業はステークホルダーの存在を明確に意識し，ステークホルダーと積極的に

CHART 表9.2 ステークホルダーからの期待の具体的内容

対象となる ステークホルダー	期待される活動
株　主	・満足な配当および株価 ・情報開示
消費者	・価格に見合った製品・サービスの質 ・製品・サービスの安全性
従業員	・職場の安全性・快適性 ・雇用維持 ・公正な賃金
地域社会	・納税 ・地域住民の雇用 ・環境保全（汚染物質などの排出基準遵守）
取引先	・迅速な代金支払い
NPO	・環境問題や貧困問題の解決
一般社会	・社会貢献活動

出所）　筆者作成。

コミュニケーションを図り，ステークホルダーの関心事項に関して敏感になる必要がある。そして，ステークホルダーと協力して，ステークホルダーに与えるリスクと損失を最小化し，致命的なリスクを避けなければならない。またステークホルダーは，株主，消費者，従業員，地域社会など，複数存在している。そのため，複数のステークホルダーを公正に扱い，複数のステークホルダー間の利害を調整する必要がある（Clarkson Centre for Business Ethics［1999］）。

　簡単にいえば，ステークホルダー・マネジメントでは，経営者は企業が影響を受けるグループを考慮するだけではなく，企業が影響を与えるグループにも配慮した経営を行う必要があることが主張される。具体的には，第3節で確認した株主・消費者・従業員・地域社会の期待と同じように，それ以外のステークホルダーについても表9.2に示したような活動を行うことである。そして，経営者の役割は，ステークホルダー間の利害の調整であることが強調される。

　このためには，企業が意思決定を行うにあたって，ステークホルダーの関心事項を理解し，それぞれが受け入れ可能な成果を達成するために，ステークホルダーと積極的にかかわる必要がある。これをステークホルダー・エンゲージメントと呼ぶ。具体的には，投資家に向けての説明会，消費者とのミーティン

グ，従業員へのアンケート，地域住民との意見交換会・工場見学などが実施されている。

　実際に企業がステークホルダー・マネジメントを実践する際の注意点としては，以下の2点があげられる。第1に，ステークホルダーは個々が独立・分離して存在しているわけではないことである。たとえば，ある自動車メーカーに勤めている従業員は，同時にその自動車の消費者，製造工場の近隣住民，さらには自動車メーカーの株主にもなりうる。つまり，1人の個人は，同時に複数のステークホルダーになりうるのである。

　第2に，特定のステークホルダーが，他のステークホルダーの利害も考慮するようになってきていることである。株主の場合であれば，第3章で説明したESG投資のように，環境，社会，ガバナンスの観点から企業を評価し，積極的に投資する株主が増えてきている。企業の持続的成長のためには上記の3つを考慮することが重要であるという考え方であり，これはすなわち，株主の期待に応えるためには，他のステークホルダーの期待にも応えることが必要だということになる。同様に，消費者であれば，環境・人権・動物・地域社会に配慮した製品を積極的に購入するエシカル・コンシューマー（倫理的消費者）が増えてきている。たとえば，フェアトレード[25]製品を購入することなどが，これにあたる。安くて質の高い製品を求めるだけでなく，環境や従業員の人権にも配慮した製品を積極的に購入することは，他のステークホルダーの利害を考慮した購買行動をとることを意味している。

　表9.2には，企業を取り巻くステークホルダーごとに，それぞれが企業に対

glossary

25　フェアトレード（fair trade）　公平・公正な貿易を意味し，発展途上国の原料や製品を適正な価格で継続的に購入することにより，立場の弱い発展途上国の生産者や労働者の生活改善と自立を目指す仕組みである。

　製品が国際フェアトレード認証を得るためには，経済的基準（フェアトレード最低価格の保証など），社会的基準（安全な労働環境など），環境的基準（農薬・薬品の使用削減と適正使用など）の3つを満たすことが求められる。

　発展途上国を対象としているため，食品が高い割合を占めているが，その中で大きな割合を占める製品としてはコーヒーがある。たとえば，日本のスターバックスでは，2002年からフェアトレード認証のコーヒー豆（フェアトレード イタリアン ロースト）を販売している。

Column ㉗　近江商人と三方よし

　近江商人とは，中世から近代にかけて活動した近江国（現在の滋賀県）の商人のことをいい，大阪商人，伊勢商人とともに日本三大商人とされている。「三方よし」とは，この近江商人の理念として位置づけられている考え方である。

　三方よしとは，「売り手よし，買い手よし，世間よし」を表したもので，売り手の都合だけで商いをするのではなく，買い手（消費者）が満足すること，さらには商いを通じて世間（地域社会）に貢献することも重視する考え方である。いわゆる，ステークホルダーとして消費者や地域社会まで含めている考え方であり，日本におけるステークホルダー・マネジメントの起源としてしばしば指摘されている（末永 [2017]）。

　近江商人の系譜を引く企業として，髙島屋，大丸，伊藤忠商事，日本生命，トヨタなどがあげられる中で，たとえば伊藤忠商事は，公式ウェブサイトでも近江商人と三方よしに言及している。

して持つ個別の期待をまとめた。この表を一見しただけだと，ステークホルダー同士は企業から利益を奪い合っている関係に見えるかもしれない。しかし，現実にはステークホルダーは重なり合うこともあれば，他のステークホルダーからの観点を考慮することもある。したがって，ステークホルダー・マネジメントを実践する際には，ステークホルダーの背景にあるつながりまで考慮することが必要になるのである。

EXERCISE

① 　新聞記事データベース（日経テレコンなど）を用いて，AI（artificial intelligence，人工知能）による技術的環境の進展状況を調査し，今後の日本社会や企業経営にどのような影響をもたらすのかを考えてみよう。

② 　ジョンソン・エンド・ジョンソン（J & J）は，「我が信条」（Our Credo）において，第1に医師，看護師，患者をはじめとするすべての顧客に対する責任，第2に全社員に対する責任，第3に地域社会に対する責任，第4に株主に対する責任として，ステークホルダーの優先順位を記している。ジョンソン・エン

ド・ジョンソンのウェブサイト（https://www.jnj.co.jp/jnj-group/our-credo）で「我が信条」を確認した上で，この優先順位はどのような論理に基づいているのか考えてみよう。
③　消費者の 8 つの権利を提唱した国際消費者機構は，消費者の 8 つの権利と同時に，「消費者の 5 つの責任」も提唱している。①批判的意識を持つ責任，②主張し行動する責任，③社会的弱者へ配慮する責任，④環境へ配慮する責任，⑤連帯する責任である。これらの責任を果たすことが企業にどのような影響をもたらすのかについて考えてみよう。

読書案内　　　　　　　　　　　　　　　　　　　　　　　　Bookguide ●

R. E. フリーマン = J. S. ハリソン = A. C. ウィックス（中村瑞穂訳者代表）
［2010］『利害関係者志向の経営――存続・世評・成功』白桃書房。
　利害関係者（ステークホルダー）をどのように捉え，どのようにマネジメントするのかについて具体的に示している。
レイチェル・カーソン（青樹築一訳）［1974］『沈黙の春』新潮社。
　環境問題に注目が集まるきっかけとなった本。日本においても，この作品に触発され，有吉佐和子［1975］『複合汚染』新潮社が出版された。

動画資料　　　　　　　　　　　　　　　　　　　　　　　　Movieguide ●

マイケル・ムーア監督「ザ・ビッグワン」（1997 年，91 分）
　監督自らが大企業に対してアポなし取材を行うドキュメンタリー。ナイキの創業者フィル・ナイトもスウェットショップ問題に関連して出演している。
李相日監督「フラガール」（2006 年，120 分）
　福島県常磐市（当時）の常磐炭田が 1965 年に事業縮小に追い込まれたことを受け，町おこし事業として立ち上げられた常磐ハワイアンセンター（現：スパリゾートハワイアンズ）の成長を描いた作品である。

CHAPTER 第10章

企業倫理とコンプライアンス

> QUESTION
> コンプライアンスという言葉が一般的になってきたのはなぜだろうか？
> コンプライアンスの捉えられ方に変化はあるだろうか？

　上は，1988年6月30日の『日本経済新聞』に掲載された社説から，一部を引用したものである。不祥事の内容さえ変えれば，明日の朝刊に掲載されていても違和感を覚えないだろう。なぜ，30年以上前の新聞記事の内容が現在でも通用するのだろうか。

　本章では，従業員の倫理的行動，企業の倫理制度，企業が直面する倫理問題について取り上げる。

| KEYWORD | 企業倫理　　コンプライアンス　　倫理的行動　　倫理的意思決定　　企業倫理制度　　内部統制 |

1 企業倫理とコンプライアンス

　ここ10年ほどで，日本においてもコンプライアンスという用語が一般的になった。みなさんもニュース番組などで耳にしたことがあるだろう。たとえば，以下の記事は，新入社員が業務遂行の際に注意すべき点を紹介したものである。

肝に銘じよ 法令順守　校則とレベル違う ちょっとした違反も処分

　コンプライアンスという用語は社員研修などで度々耳にすることになる。（中略）まずは勤め先のルールを確認したい。基本となるのが就業規則で，勤務時間や休日・休暇といった働き方や賃金などのほか，禁止事項もまとめられている。違反すると出勤停止や減給，降格，解雇など懲戒処分の対象になる。浅見（隆行）弁護士は，「会社のルールは学校の校則とレベルが違う。ちょっとした違反も処分につながる」と注意喚起する。（後略）

　新入社員が気をつけたい法令違反

内　容	該当する可能性がある法令違反
出張費や経費をごまかす	詐欺，横領
会社の備品を持ち帰る	横領，窃盗
飲食店などで営業秘密を大声で話す	不正競争防止法違反
酔っ払って電車内で騒ぐ，公共物を壊す	軽犯罪法違反，器物損壊
ネットで見つけた他人の文章を資料作成に盗用	著作権法違反

――――――『日本経済新聞』2016年11月22日（（　）内は引用者）

　このように，コンプライアンスという用語が一般的になってきたのには，企業不祥事が発覚し，社会からの批判が集中したことが背景にある（▶第3章）。

　新聞やテレビのニュースではしばしば企業不祥事が報道される。1990年代に表面化した証券会社の利益供与やゼネコン汚職，2000年以降には，自動車のリコール隠し，建物の耐震偽装，食品の産地偽装など，多くの企業不祥事が

180 ● CHAPTER 10 企業倫理とコンプライアンス

発覚した。このような不祥事が発生すると，ステークホルダーは企業に対して不祥事を起こさないような対策を要求する。それを受けて，企業を取り巻く法規制が強化され，同時に，企業はコンプライアンスの重視を要求されるのである。

　また，アメリカにおいても，2001年のエンロン，および2002年のワールドコムによる粉飾決算は，経営幹部が主導していたこともあり，大きな衝撃をもって受けとめられた（▶第3節 Column ㉙）。その結果，欧米を中心に，厳しいコンプライアンスが要求されるようになったため，海外に進出している日本企業はこうした要求に対応する必要に迫られている。つまり，コンプライアンスへの対応は日本だけでなく，世界的な動向なのである。

　そもそも現代の社会は，企業を信頼することで成り立っている。企業不祥事が多発することによって，「不正を追及されている会社にとどまらず，多くの会社が陰で悪いこと（不正）を行っている」という不信感が生まれると，投資家はリスクを恐れて企業の株式を買うことができなくなるし，消費者は安心して製品を購入することができなくなる。極論すれば，社会における1人ひとりの生活が成り立たなくなる。

　だからこそ，企業倫理が問題となるのである。**企業倫理**とは，「企業の意思決定と行動に関する原則基準」を指す。企業倫理を確立するということは，企業が，法的責任と倫理的責任（▶第8章）を果たすための原則基準を定めるということである。そこでは，受託原則に対応して，企業を取り巻く社会と調和した企業経営を行うことが目指される。

　このようにして確立された企業倫理を維持するためには，コンプライアンスを意識しなければならないことになる。**コンプライアンス**（compliance）という用語は，命令・要求などへの服従・属属を意味する言葉で，日本では倫理法令遵守（順守）と訳され，企業が社会の規範・法令・社内規程に従って業務を行うことを指す。

　企業がコンプライアンスを実践するためには，従業員1人ひとりがコンプライアンスに則った行動をとる必要がある。このような，法令・社内規程を遵守した従業員の行動を**倫理的行動**と呼ぶ。したがって，企業は，従業員の非倫理的行動を防止し，倫理的行動を促す必要がある。この目的のために，企業は，

1　企業倫理とコンプライアンス　● 181

さまざまな倫理制度（コンプライアンス制度）を構築することになる。

以下，第②節では，従業員の倫理的行動について説明し，第③節では，従業員の倫理的行動を促進する企業倫理制度について説明する。

ただ，企業倫理は従業員の倫理的行動だけにはとどまらない。企業の組織としての意思決定と行動における倫理も問題になるのである。しかし，社会の中での規範は一様ではなく，さまざまな規範が存在する。そのため，正しいか間違っているかを簡単には判断できないという問題が生じる。第④節では，そのようにさまざまな規範が存在する社会の中で，企業が組織としてどのように倫理的行動をとるのかに関して，近年注目された事例を説明する。

 倫理的行動

倫理的意思決定

倫理的行動をとるためには，個人の**倫理的意思決定**が重要であるとする考え方がある。この考え方では，倫理的行動に至るまでに図10.1のようなプロセスが存在すると想定している。まず，倫理的問題の認知とは，倫理的意思決定の最初の段階で，個人がその問題に倫理的要素が含まれていることを認知することである。次に，倫理的判断とは，倫理的問題を認知した個人が，その問題状況において何をするのが正しいことなのかについて判断することを指す。その後，具体的な行為の選択，すなわち倫理的意思決定が行われることになる。

このようなプロセスを前提とするならば，倫理的行動をとるためには，個人がどのように倫理的問題を認知するのか，そして，いかに正しく判断するのかが重要となる。したがって，行為の倫理性の判断基準として[26]，結果主義や規範主義や配慮主義といった倫理の指針を理解することが重要となる。

ただ，現実には，これらの指針を用いてその行動が倫理的かを判断するのは難しいことが多い。そのため，具体的な手法として，簡単なテストが提案されている（キダー［2015］）。

第1に，「一面記事テスト」である。これは，「今やろうとしていることが，

図10.1 倫理的行動に至るプロセス

(出所) 中野 [2004] 17頁をもとに筆者作成。

明日の全国版の新聞朝刊一面に掲載されたらどのように感じるのか」を想像してみるというテストである。新聞ではなく，テレビのニュースで放映される場合を想像してもかまわない。このテストは，自分の行為を他人が知ることによる結果を想像しているので，結果主義の側面からのテストであるといえる。

glossary

26 **行為の倫理性の判断基準**　ある行為が倫理的かどうかについての判断基準に関しては，古くから議論がなされてきた。ここでは，行為の倫理性を判断する際にしばしば用いられる代表的な3つの指針について紹介する（キダー [2015]）。

・**結果（帰結）主義**　この原理は功利主義（utilitarianism）とも呼ばれ，ある行為が最大多数の人々に最大の幸福をもたらすならば，その行為は倫理的であると考える。もし，ある行為が全体として快楽よりも多くの苦痛をもたらすならば，その行為は非倫理的となる。つまり，行為そのものに倫理的／非倫理的の区別はなく，ある行為が倫理的であるかどうかは，その行為によって引き起こされる結果で判断される。個人がある意思決定を行う際には，その意思決定に伴う費用と利益を比較（コスト・ベネフィット分析）するが，功利主義は社会全体を対象としてコスト・ベネフィット分析を行うと考えるのである。

・**規範主義**　この原理は義務論（deontology）とも呼ばれ，ある行為が倫理的であるかどうかはその行為の結果で決まるわけではないと考える。そして，ある行為が倫理的であるかを判断する基準として，定言的命令（categorical imperative）という原理を用いる。これは，「自分の行動が普遍的な法則となるように行動すること」である。簡単にいえば，「他のみなにも従ってもらいたいと思う原則に従う」ことである。つまり，ある行為を社会全体が行っても矛盾が生じないことが倫理的であるとする考え方なのである。たとえば，虚偽広告をすることが倫理的かどうかは，すべての企業が虚偽広告を行うケースを想定すればよい。そのことにより，消費者がすべての企業の広告を信じなくなると，広告という行為そのものが成り立たなくなる。したがって，虚偽広告は普遍的法則になりえず，倫理的ではないと判断される。

・**配慮主義**　この原理は，黄金律（golden rule）とも呼ばれ，規範主義と同様に，ある行為が倫理的かどうかはその行為の結果で決まるわけではないと考える。そして，「自分がしてもらいたいことを他人にも行う」という原理を用いる。つまり，自分が行動を起こす側ではなく，行動からの影響を受ける側に立つことを想像するのである。この考え方は古くから存在し，キリスト教，仏教をはじめとする世界中の宗教の教典等に，この原理に即した表現を見ることができる。

第2に,「嗅ぎ分けテスト」である。これは,道徳的直観に頼った,勘による決断である。「今やろうとしていることを実行すると,見過ごすことのできない嫌な気持ちにならないか」を確認するテストである。たとえ,はっきりとこれが問題だと指摘できなくとも,その行為が自らの原理に反するかどうかを問うものである。このテストは,結果にこだわるのではなく,自分の内面に持っている原理に従うことを強調しているので,規範主義の側面からのテストである。

　第3に,「もし母親だったらテスト」である。これは,「もし自分が自分の母親だったら,これを行うだろうか」と考えてみるというテストである。何も母親に限らず,自分のことを心配し,自分にとって大切で,お手本となるような人であれば誰でもよい。その人の気持ちを想像して不安に感じるならば,もう一度考える必要がある。これは,自分を他人に置き換えて判断をしているので,配慮主義の側面からのテストである。

┃ 倫理的行動の難しさ ┃

　ただ,倫理的行動をとることが重要だとわかっていたとしても,現実に倫理的行動をとるのは難しい。みなさんも,友達の不正を見逃したり,間違っていると思っていても声を上げなかったりした経験があるだろう。これは,組織(集団)における問題である。実際に,社会心理学においては,個人の意思決定は独立的ではなく,周囲の言動や権威者の行動によって影響を受けることが確認されている(Column ❷❽)。組織において共有された価値観・規範・信念を経営学では組織文化というが,組織文化によっても倫理的行動をとるかどうかは影響を受けるであろう。また,同じクラスであっても授業を行う先生が替わるとクラスの学生の振る舞い(授業中に騒ぐか否か)は大きく変化するように,経営者などのリーダーの行動によっても倫理的行動は影響を受けることになる。

　さらに,倫理的に振る舞おうとする意思はあるにもかかわらず,実際には倫理に反する行動をとってしまうような現象も存在する。これは,意思と行動との間にギャップが生じている状態といえる。この原因として,さまざまな認知バイアス(判断の偏り)が指摘されている。代表的な3つのバイアスについて見てみよう。

Column ㉓ アッシュの実験とミルグラムの実験

両方とも，社会心理学の分野において有名な実験であり，意思決定における他者からの影響を明らかにしたものである（出見世 [2004]）。

ソロモン・アッシュは，1955 年に，2 枚のカードを用い，実験を行った。左側のカードには 1 本の線が描かれており，右側のカードには 3 本の線が描かれている（下図）。被験者は 7 人のサクラがいるグループに入れられ，「右側のカードの 3 本の線の中で，左側のカードの線と同じ長さの線はどれか」と聞かれ，順番に回答する（正解は 2）。被験者は最後に回答するのであるが，それより前のサクラが揃って不正解を答えると，被験者も不正解の選択肢を選ぶ傾向が見られた。12 回の試行の中で，すべての質問に正解を答え続けた被験者は全体のおよそ 25％で，残りの 75％は 1 回以上サクラの回答に影響を受けて答えを誤ってしまった。これは同調行動（自分の意見・態度・行動を周囲と合わせようとする行動）を明らかにした実験として，広く知られている。

また，スタンリー・ミルグラムによって 1961 年に行われた実験は，被験者が教師役となり，白衣を着た実験責任者の指示のもと，生徒役に対して誤答するたびに段階的に電気ショックを与えるものであった（実際には，生徒役はサクラであり，電気ショックは与えられていなかった）。生徒役が苦痛を訴えているにもかかわらず，被験者の 65％が，実験責任者の指示に従い，実験における最大ボルト数である 450 V まで電気ショックを与え続けた。これは，人がいかに権威に服従しやすいかを明らかにしたものである。

図　同調実験用カード

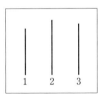

第 1 に，「内集団びいき」である。宗教，人種，性別などの属性が同じ人を優遇する傾向である。自分と共通点のある人に親切にしたいという思いが，えこひいきといった非倫理的行動の原因となる。

第 2 に，内集団びいきを敷衍したものとして，「日常的偏見」がある。これは，属性関係全般の無意識な選好を指し，人事評価の際の差別的な処遇などの

原因となる。

　第3に,「自己中心主義のバイアス」である。公正性の基準を自分に都合よく変え,自分の望む結果を公正なものとして正当化することを指す。ある研究によれば,4人の研究者によって共同で執筆された論文の著者に対して,自分の貢献度を評価してもらったところ,4人の合計は100％を大きく超え,140％に達したという (Caruso, Epley and Bazerman [2006])。つまり,自分の貢献ばかりが目にとまり,他のメンバーの貢献が視界に入っていなかったのである。興味があれば,講義などでグループワークを行った後に,それぞれの参加メンバーに自身の貢献度を確認してみてもよいだろう。このバイアスによって,自分に都合のよい行動を倫理的であると正当化してしまう。

 企業倫理制度

企業倫理制度の背景

　近年,日本でも企業不祥事の防止,さらには非倫理的行動を防止することを目的に,**企業倫理制度**(コンプライアンス制度)を導入・構築する企業が増えている。この背景には,企業不祥事の発生を防ぐことを狙いとした法律の改定がある。

　アメリカにおいては,エンロン,ワールドコムといった大企業に粉飾決算(Column㉙)が多発したのをきっかけに,企業会計・財務諸表の信頼性を向上させるために,2002年にサーベンス＝オクスリー法(SOX法)が制定された。

　これを参考に,日本においても2008年から,金融商品取引法によって,内部統制報告書の作成が義務づけられた。これが,日本版SOX法(J-SOX)と呼称されているものである。**内部統制**とは,業務の有効性・効率性,財務報告の信頼性,事業活動にかかわる法令等の遵守,資産の保全を保証するための企業内のプロセスを指す。この法律は,企業不祥事を引き起こした企業を罰するというよりも,企業の事業プロセスの透明化を図ることで,企業不祥事を未然に防止することを目的としている。

Column ㉙　エンロン，ワールドコム事件

エンロンは，かつて存在したアメリカの総合エネルギー企業である。天然ガス会社であるインターノースとヒューストン・ナチュラル・ガスが1985年に合併して誕生した。同社は，アメリカ政府が打ち出した規制緩和政策によって，天然ガス，電力，天候のデリバティブ取引にまで手を広げ，さらには世界ではじめてエネルギー取引のインターネット・サイト「エンロン・オンライン」を立ち上げた。2000年には売上高が1000億ドルを突破し，全米第7位の巨大企業となった。

しかし，2001年10月に巨額の不正経理・不正取引による粉飾決算が明るみに出て，同年12月に破綻した。破綻時の負債総額は約310億ドルに上り，当時最大規模の企業破綻であった。その後，アメリカの多くの大企業で次々と不正会計やインサイダー取引が表面化した。2002年には大手通信会社ワールドコムの粉飾決算が明らかになり，経営破綻した。負債総額は約410億ドルで，企業破綻としてはエンロンを上回る規模となった。

その後，エンロン事件やワールドコム事件などで問題になった粉飾決算に対処し，企業会計・財務諸表の信頼性を向上させるために，上場企業会計改革が行われ，また投資家保護のためのサーベンス＝オクスリー法（SOX法）が制定された（みずほ総合研究所［2002］）。

また，内部告発を行った労働者を保護することを目的とした公益通報者保護法も2006年から施行されている（2022年6月に改正公益通報者保護法として施行）。この法律は，公益通報をしたことを理由とする解雇等の不利益な取り扱いから，労働者を保護することを目的としたものである。改正公益通報者保護法では，従業員300人超えの事業者に対して，通報窓口の設置，担当者の任命，通報者保護体制の整備などの体制整備が義務づけられる。通報者探しにつながる行為が原則禁止されており，担当者が正当な理由なく通報者を特定させる情報を漏らした場合，刑事罰の対象となる。保護される通報者の対象には，現役の社員に加え，役員，1年以内の退職者も含まれる。

内部告発をきっかけに企業不祥事が発覚することも増え，内部告発者の保護の対象範囲も広げられた。こうした措置によって，企業不祥事がより発覚しやすくなることが期待されている。

3　企業倫理制度　● 187

企業倫理制度の内容

　上述の通り，企業を取り巻く環境は，企業にコンプライアンスを重視することを要求しており，その要求に対応して，企業も社内の制度を構築している。企業倫理制度の具体的な内容としては，以下の4つがあげられる。

　① 行動規範（code of conduct）の設定

　倫理行動規範，企業行動憲章，行動指針などといったさまざまな名称で呼ばれているが，組織に所属する役員や従業員が遵守すべき考え方や行動を定めた文書を指す。役員や従業員が倫理的問題に直面した際の指針としての役割を果たす。社会，環境，地域，従業員，取引先などの，さまざまなステークホルダーに対処する際の行動の指針が定められている。名刺サイズのカードにまとめ，容易に携帯できるようにしている企業も多い。社員に常に意識してほしいという意図もあるが，同時に，取引先に自社の行動規範をすぐに見せられるようにしておくことでトラブルを避ける目的も存在する。たとえば，図10.2は，中外製薬の行動規範（中外BCG〔ビジネス・コンダクト・ガイドライン〕）である。

　② 企業倫理（コンプライアンス）推進組織の設置

　企業倫理推進組織にはおもに2つのタイプがある。第1に，企業倫理委員会，コンプライアンス委員会といった，委員会である。これは，取締役会などの諮問機関として，企業倫理の方向性を示すものである。外部の有識者を招く場合も多い。第2に，企業倫理推進室，コンプライアンス室などの，企業倫理を推進する実行組織である。これは，以下で示す，企業倫理教育や相談窓口・報告窓口設置の責任部局となる。

　③ 企業倫理教育の実施

　企業倫理にかかわるルールを浸透させるために，社員に対して行う研修のことを指す。新入社員に行う研修や，1年に1回テーマを変えて行う研修，新任管理職に行う研修などがある。一般的には，コンプライアンスにかかわる規則を講義形式で解説する場合と，特定のテーマに関してグループ・ディスカッションを行う場合がある。グループ・ディスカッションを行う場合には，以下のようなケースが用いられる。

　・ケース（1）　朝，あなたは，会社に向かう途中です。もう少しで会社に到

CHART 図 10.2 中外 BCG カード

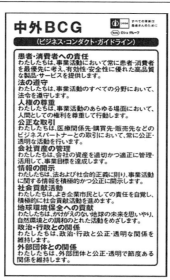

出所) 中外製薬提供。

着しそうなとき,スマホに LINE の通知が入りました。そこには,「ちょっとだけ遅刻しそうなので,タイムカードを代わりに押しておいて,お願い!」という同僚からのメッセージが入っていました。さて,あなたはどうしますか?

・ケース (2) あなたは締め切り間際の書類を作成し,決裁者である上司に承認の印鑑をもらいにいきました。ところが,上司は不在で,いつ戻るかもわかりません。イライラしていると,上司の机の上に印鑑が置いてあるのを見つけました。上司には事前に内容について相談しているので,あなたが印鑑を押しても問題はなさそうです。さて,あなたは上司の印鑑を自分で押しますか?

④ 相談窓口・報告窓口の設置

ホットライン,ヘルプラインともいう。従業員がハラスメント等の被害を受けている場合,従業員が不正にかかわる可能性がある場合,同僚の不正を発見した場合などに,迅速に会社に報告・相談できる窓口を指す。一般的には,申告者に関する秘密を厳守し,不利益が生じないように配慮した上で,問題の解

決にあたる。社内のコンプライアンス担当者が受け付けることもあるが、公正を期すため、直接の利害関係がない外部の弁護士などが担当窓口になることも多い。

非倫理的行動を防止するためには、このような企業倫理制度を確立すること以外にも注意すべき点がある（ベイザーマン゠テンブランセル［2011]）。たとえば、不適切な目標を設定しないように注意しなければならない。企業は望ましい行動を促進するために目標を設定するが、その目標が逆に倫理に反する行動を促進してしまう可能性があるのである。たとえば、高い売上目標を設定したことで、その目標を達成するために従業員が売上を水増ししてしまうなどといった状況である（●第3章Column ⓫）。また、一度小さな違反行為を許すと、次は前よりももう少し大きな違反を許すことにつながり、最終的には重大な不正行為まで許容してしまう傾向のあることが指摘されている。これは、滑りやすい坂（slippery slope）といわれる現象であり、企業は些細と思われる違反でも即座に対処する必要がある。

4 企業の倫理的問題

ここまでは、おもに企業内の個人におけるコンプライアンスについて説明してきた。しかし、企業倫理は、個々の従業員が法令・社内規程に従って業務を遂行しさえすれば実現するというものではない。個人として不正を起こさないことは重要ではあるが、組織としてどのように倫理的行動をとるかという企業倫理の問題もあるのである。

第9章で確認したように、企業の行動、そしてその行動の指針となる意思決定は、株主・消費者・従業員といったステークホルダーに大きな影響を与える。そのため、企業はステークホルダーの期待に応える必要があるが、単にステークホルダーの要求に応えるだけでは不完全である。なぜなら、企業の意思決定が何らかの形でステークホルダーに影響を与えることはもちろんであるが、ある意思決定の影響がステークホルダー間に利害の対立をもたらす可能性もあるからである。つまり、あるステークホルダーの要求に応えることは、他のステ

ークホルダーの利害を損なう場合がある。たとえば，株主の期待に応えることによって，消費者の期待に反するといった可能性である。

　このような場合，企業は社会からの論争に巻き込まれることになる。ここでは，まず，読者のみなさんにもなじみの深いアップルについて，2015 年に起きた iPhone のロック解除論争の事例を紹介しよう。次に，倫理的問題の典型例とされている，多国籍企業のダブル・スタンダード問題について見てみよう。

┃ アップル iPhone のロック解除論争 ┃

　2015 年 12 月 2 日，カリフォルニア州の障害者福祉施設で，市職員とその妻がともに銃を乱射して 14 名を殺害し，その後の警察との銃撃戦で容疑者 2 名も死亡するという事件が発生した（サンバーナーディーノ銃乱射事件）。

　FBI はテロリスト集団との関係を調べるため，アップルに対し，犯人が所有していた iPhone 5c のロック解除（正確にはロック解除ツールの作成）を要求した。みなさんも知っていると思うが，iPhone には，パスワード入力に 10 回失敗するとデータが初期化される機能が搭載されている。

　しかしアップルは，この要求を顧客データのセキュリティを脅かすとして拒否した。FBI の上部組織であるアメリカ司法省は，翌 2016 年 2 月 19 日，テロ容疑者が所有していた iPhone のセキュリティ解除を拒んだアップルに対し，解除を強制するよう裁判所に申し立てた。これに対し，アップルは 2 月 25 日，セキュリティ解除を命じたのは憲法違反であるとして裁判所に対して命令の無効を申し立てた。結局は 3 月 28 日に，司法省の側が，iPhone 5c のロック解除法を独自ルートで入手しロック解除ができたとして，アップルに解除への協力を求めたリバーサイド連邦地方裁判所への訴訟を取り下げた。ちなみに FBI は，容疑者の iPhone のロック解除を他の民間企業に依頼し，約 90 万ドルを費やしていたことが明らかになっている。

　アップルは「今後も捜査には協力するが，自社製品のセキュリティは向上させていく」との声明を出し，また，アップルがロック解除への協力を拒否したことを，グーグル，マイクロソフト，フェイスブック（現：メタ），ヤフー，ツイッター（現：エックスコープ），アマゾン等の大手 IT 関連企業も支持した。他方，FBI を支持する政治家も多かった。たとえばドナルド・トランプは，2016

4　企業の倫理的問題 ● 191

年 2 月 20 日に，アップルが司法省に協力するまで同社製品をボイコットすると表明した。なお，アップルの事件に対する声明は，次の URL（https://www.apple.com/customer-letter/）で確認できる。治安維持（犯罪捜査）とプライバシー保護のせめぎ合いに関する論争は昔から存在するが，企業もその問題にかかわらざるをえないことを明らかにした，有名な事例である（Carroll, Brown and Buchholtz［2017］pp. 659-663；『日経 PC21』2016 年 5 月号 11 頁）。

多国籍企業のダブル・スタンダード問題

　多国籍企業が直面する倫理的問題として，本社の属する国のルール（慣習）と，進出先の国のルールとの間に違いがあると，どちらのルールを採用するのかが問われることになる。この場合，「郷に入れば郷に従え」ということわざのように，海外に進出したらその国の法律や慣習に従うことが望ましいという考え方もできなくはない。しかし，**第 9 章 Column ㉕**で見たように，ナイキの労働搾取工場の問題は，現地で製造を委託している企業の従業員の労働環境が，アメリカの従業員の労働環境と異なることが，いわゆるダブル・スタンダードであるとして批判を受けたのである。これ以外にも，工場の排出基準や現地の役人に対する賄賂の問題などが，同様の倫理的問題として捉えられてきた。

　このような倫理的問題に対応するために，事業活動を行うための共通指針が提示されている。1999 年，国連は世界経済フォーラムにおいて，人権・労働・環境・腐敗防止に関する 10 原則から構成される「国連グローバル・コンパクト」を提唱した。これは企業のグローバル化に対応し，企業に対して上記の 4 つの課題に向けて自発的に取り組むよう求めたものである。2024 年 4 月の時点で，167 カ国・約 2 万 5000 の企業や組織（うち日本は 611）が国連グローバル・コンパクトに参加しており，世界中の事業活動について，人権の保護，不当な労働の排除，環境への対応，腐敗の防止の実現に向けて 10 原則に基づき努力している。

　また，このような動きに対応して，日本においても法律が改正されている。まず，1998 年に不正競争防止法が改正され，外国公務員に対する贈賄禁止規定を新設した。2004 年には，日本国内の企業に加え，海外現地法人による行為も対象となり，2023 年には，海外現地法人で働く外国人従業員による行為

も対象となった。つまり，日本国外であっても，進出先で現地の従業員が公務員に賄賂を贈ることは，日本の法律違反になるのである。

中国リスク　戸惑う企業

　中国の地方政府幹部に賄賂を渡したとして，自動車マフラー大手「フタバ産業」元専務が不正競争防止法違反（外国公務員への贈賄）で逮捕された事件は，中国ビジネスでの「不正リスク」を浮き彫りにした。取り締まり強化で「かつてのような露骨なケースは少ない」との声もあるが，海外での営業活動をどうするか，悩む企業は少なくない。

　専門家によると，米国や英国は企業の海外での贈賄行為取り締まりを強化している。日本企業もこうした流れに沿ってコンプライアンス強化に乗り出しているが，「どこまでなら許されるのか」と戸惑う企業は少なくない。

　　　　　　　　　　　　——『日本経済新聞』2013 年 9 月 24 日

　このように，ある時代においては倫理的責任のカテゴリに属していたトピックが，社会の要求の高まりに対応して法制度化され，法的責任のカテゴリに移行することがある（▶第**8**章第**3**節）。上記の贈収賄の問題は，倫理的責任の問題から法的責任に移行していると捉えることができる。

EXERCISE

① あなたの所属する大学（組織）における，キャンパス・ハラスメント等のコンプライアンスに関する相談窓口の制度を調べてみよう。

② 以下の 2 つのテーマについて，あなたならどのような要因を考慮し，どのような行動をとるのかについて，グループ・ディスカッションを行ってみよう。また，倫理的行動をとる際に躊躇するのであれば，躊躇する原因について考えてみよう。

・ケース**1**

　朝，あなたは，1 限の大学の講義に向かう途中です。もう少しで大学に到着しそうなとき，スマホに LINE の通知が入りました。そこには，「ちょっとだけ遅刻しそうなので，代返しておいて，お願い！」という友人からのメッセージが入っていました。さて，あなたはどうしますか？

・ケース**2**

　あなたは 4 年生の後期に，経営学の定期試験を受けています。しかし，問題が

EXERCISE　● 193

難しく,どのように解答してよいのかわかりません。あなたはこの講義が不可になると,単位が足りず留年することになり,さらに,内定していた企業への就職が取り消されることになります。憂鬱な気分になっていたところ,あなたは前の席に座っている学生の解答が見えることに気づきました。さて,あなたならどのように対応しますか?

読書案内 | Bookguide

D. スチュアート(企業倫理研究グループ訳)[2001]『企業倫理』白桃書房。
　哲学者の観点から,哲学の理論と対比しながら企業倫理を具体的な事例を用いて詳細に説明している。

M. H. ベイザーマン = A. E. テンブランセル(池村千秋訳・谷本寛治解説)[2013]『倫理の死角──なぜ人と企業は判断を誤るのか』NTT 出版。
　行動倫理学という新たな視点から,倫理的行動に関連するさまざまな認知バイアスがわかりやすく説明されている。

動画資料 | Movieguide

ジェームズ・ディアデン監督「マネートレーダー/銀行崩壊」(1998年,104分)
　1995年に破綻したイギリスの名門投資銀行ベアリングス銀行の崩壊に至るプロセスを描いた実録映画。同行は,シンガポール支店の一行員ニック・リーソンによる損失隠しから破綻に追い込まれた。

シドニー・ルメット監督「十二人の怒れる男」(1957年,96分)
　父親殺しの罪に問われた少年の裁判における陪審員たちの,評決に至るまでの議論を描いた作品。議論の冒頭のシーンで,集団的意思決定における同調圧力を見て取ることができる。

CHAPTER

第 **11** 章

企業の社会貢献活動

QUESTION
企業が社会貢献活動をするのは何のためだろうか？

年度	受賞企業	活　動
2023	コマツ	対人地雷処理とコミュニティ開発支援
	丸井グループ	ソーシャルボンドで世界とつながる丸井グループの「応援投資」
2022	パナソニックホールディングス	Panasonic NPO/NGOサポートファンドfor SDGs
2021	サラヤ	いのちをつなぐプロジェクト
2020	エーザイ	業務時間の1％を患者（生活者）とともに過ごすヒューマン・ヘルスケア活動
	城南信用金庫	「"よい仕事おこし"フェア」「よい仕事ネットワーク」による地方創生の取り組み
2019	第一勧業信用組合	社会的課題解決による地域社会の持続的成長を目指した活動
	北　良	医療と防災のヒトづくり×モノづくりプロジェクト

企業フィランソロピー大賞受賞企業（2019 ～ 2023 年度）

出所）日本フィランソロピー協会ウェブサイト。

　上の表は，日本フィランソロピー協会が社会貢献に取り組む企業を表彰する企業フィランソロピー大賞の受賞企業のリストである。なぜ，このような活動を企業が行っているのだろうか。本章では，企業の社会貢献活動について取り上げる。

● 195

KEYWORD

社会貢献活動（フィランソロピー）　戦略的社会貢献　コーズリレーテッド・マーケティング　マッチング・ギフト　共通価値の創造（CSV）

1 社会貢献活動

企業の社会貢献活動とは

「経団連1％クラブ」という名を耳にしたことはあるだろうか。これは，1990年に当時の経済団体連合会（経団連の前身組織）が設立した，経常利益・[27]可処分所得の1％以上を自主的に社会貢献活動に活かすことを理念とした団体であり，2019年に経団連の機構の一部として位置づけられている。

また，1％ for the Planet という国際ネットワークが2002年に設立されている。これは，企業の売上の1％以上を，環境保護活動を行う非営利団体に寄付する世界的なネットワークで，パタゴニア，シチズンなど，世界110カ国の

glossary

27 経常利益　企業の利益を表す指標には，おもに営業利益，経常利益，当期純利益という3つがある。

営業利益とは，企業の売上から売上原価を差し引いた「売上総利益」から，広告宣伝費や研究開発費などの費用を表す「販売費及び一般管理費」を差し引いたものであり，企業が本業から獲得した利益のことを指す。

経常利益とは，営業利益に，利息や不動産賃貸料など，企業の財務活動によって発生する「営業外収益」と「営業外費用」を合わせたものであり，企業が経常的な活動から獲得した利益のことを指す。省略して「けいつね」と呼ばれることもある。

当期純利益とは，経常利益に，不動産売買や自然災害による損失など，企業の経常的な活動と直接かかわりのない臨時の要因によってその期だけに発生する「特別利益」と「特別損失」を加え，さらに，「法人税等」を差し引いたものである。

まとめると，営業利益は本業の利益，経常利益は事業活動の利益，当期純利益は企業全体の利益のことを表しているといえる。

営 業 利 益 ＝ 売上総利益 ― 販売費及び一般管理費

経 常 利 益 ＝ 営業利益 ＋ 営業外収益 ― 営業外費用

当期純利益 ＝ 経常利益 ＋ 特別利益 ― 特別損失 ― 法人税等

6700 以上の組織が加盟している。

さらに，扉頁にも示したように，公益社団法人の日本フィランソロピー協会は，社会貢献に取り組む企業を表彰する「企業フィランソロピー大賞」を実施している。2023 年（第 21 回）は，コマツと丸井グループが受賞した。コマツは，2008 年から，カンボジアを中心とする対人地雷の被害に苦しむ地域において，建機メーカーのノウハウを活かしながら，地雷処理から復興までのコミュニティ開発を目的とした支援活動に取り組んでいる。丸井グループは，2022 年に丸井グループのカード会員を対象に，途上国における低所得者個人向け小口融資（マイクロファイナンス）を通じた支援を目的として，ブロックチェーンの技術を利用したデジタル社債（2 億円）を発行している。

このように，多くの企業が社会貢献活動に取り組んでいる。**社会貢献活動**とは，一般的に，「企業が自主的に，自らが引き起こしたわけではない社会問題の解決のために経営資源を投入して支援する，営利を目的としない活動」のことを指し，**フィランソロピー**（philanthropy）とも呼ばれる。

一般に，社会問題（social issues，社会的課題ともいう）とは，多くの個人に無視できない影響を与え，個人では解決できない問題を指す。この社会問題を企業との関係から捉えると，以下の 3 つに分類することができる（Ackerman and Bauer［1976］）。

第 1 のカテゴリーは，企業の活動によって直接的に引き起こされたものではない（あるいは仮に企業の活動によって引き起こされたとしても，むしろ社会の欠陥を反映したものと理解すべき），企業外部に存在する社会問題である。たとえば，職業差別，貧困，麻薬，都市の荒廃などといったものである。第 2 のカテゴリーは，通常の企業活動が企業外部へ影響することで現れる社会問題である。たとえば，生産設備から生じる公害，製品・サービスの質・安全性・信頼性，疑わしいマーケティング活動，工場閉鎖や工場新設の社会的影響などがあげられる。第 3 のカテゴリーは，企業内部で発生し，通常の企業活動と本質的に結びつく社会問題である。たとえば，雇用機会均等，職場の健康・安全，労働生活の質などが，それに該当する。

この中で，第 1 のカテゴリーの問題に対応することが，企業の社会貢献活動となる。企業の社会貢献活動は，第 **8** 章で説明した社会貢献的責任（すなわち，

> **Column ㉚　震災に関連した社会貢献活動**
>
> 　企業の社会貢献活動にはさまざまなものがあるが，日本は地震国であり，多くの日本企業が震災支援を行っている。ここでは，2011年3月11日に発生した東日本大震災に関連する代表的な社会貢献活動を紹介する。これ以外にも多くの企業が震災復興に取り組んでいるので，調べてみるとよいだろう。
>
> ① ヤマトグループの支援
>
> 　東日本大震災発生後，ヤマト運輸の現地の社員は，自主的に救援物資輸送の支援活動を行っていた。これを受け，ヤマトグループは，震災発生12日後，岩手・宮城・福島の3県で，自治体の救援物資輸送を手伝う特別組織「救援物資輸送協力隊」を立ち上げた。被災地の「救援物資が隅々まで行き届かない」という課題を解決するため，宅配便のノウハウを活かして，自治体の保管拠点から避難所や集落，病院や介護施設などへの救援物資の運搬を担当するものである。配送用に2tトラック200台と，ドライバー・倉庫内作業で500名程度の人員を半年間提供した。
>
> 　それとともに，4月から1年後の2012年3月31日まで，宅配便取り扱い1個当たり10円を復興支援として寄付することを決定した。結果として，同社の

ヤマト運輸提供

道徳や倫理として求められるわけではないが，社会が企業に担ってもらいたいと望む役割を企業が自発的に遂行する責任）に相当する。つまり，企業が自発的に行う，社会に対する援助であり，慈善原則に対応するものである。

　企業の社会貢献活動は，企業の提供する資源という観点からの分類では，以下の4つに整理されている。第1に，金銭的な支援である。これは，支援の対象に直接，資金援助をするものである。1回の資金援助で終わるものもあれば，長期間にわたって継続して一定額を資金援助する場合もある。第2に，物的な支援である。これは，支援の対象に必要とされる物品を提供するものである。自社製品の寄贈という形で行われる場合もある。2011年に発生した東日本大震災では，多くの企業が自社製品の寄贈を行った（Column ㉚）。従業員用の福利厚生施設（グラウンドや体育館）などを地域住民に開放することなども，これに含まれる。第3に，人的な支援である。これは，自社の従業員をボランティ

純利益の約 4 割に相当する約 142 億円を寄付している(ヤマト運輸ウェブサイト)。

② 富士フイルムの「写真救済プロジェクト」

富士フイルムは 2011 年 4 月に,同年 3 月に発生した東日本大震災による津波で流され水や泥で汚れたアルバムや写真を洗浄し,持ち主に返却する活動を支援する「写真救済プロジェクト」を立ち上げた。このプロジェクトは,写真プリントの状態に応じた適切な洗浄方法の情報提供という技術的支援と,洗浄に必要なツール・消耗品を提供する物理的支援を行うもので,現地で技術的支援にあたるメンバ

富士フイルム提供

ー約 30 名が週末を中心に約 80 カ所の被災地を訪れている。気温が上がる夏までに写真を洗浄しないとバクテリアやカビによって劣化が進行するため,被害を受けた写真,約 17 万枚を富士フイルムの神奈川工場足柄サイトに持ち込み,同社のグループ社員やその家族,OB などの社内ボランティアによって洗浄し,現地に送り返す活動も行った。

東日本大震災以降も,地震や水害などにより,写真救済が必要になった場合は,情報発信や技術的支援を継続的に行っている(富士フイルム・ウェブサイト)。

アとして派遣するというものである。従業員の持つ特殊な技能を提供したり,行事やイベントを支援するために参加することを指す。第 4 に,情報の提供である。これは,企業が保有している技術やノウハウを必要な人や組織に提供するというものである。このように企業は,ヒト・モノ・カネ・情報という経営資源を利用して社会貢献活動を展開している。

他方,社会貢献活動の具体的な展開方法は,以下の 3 つに分類されている。第 1 に,寄付金である。これには,金銭的寄付だけでなく,自社製品の提供などの現物寄付の経費,施設開放にかかわる経費,業務の一環として活動に派遣した社員の人件費や出張経費なども含まれる。第 2 に,自主プログラムである。これは,企業が保有する経営資源を活用し,企業が独自に,あるいは他社や NPO と協働で,企画・運営する社会貢献活動を指す。資金だけにとどまらず,目的に応じてさまざまな経営資源を活用することにより,多面的な支援が可能

となる。第3に，従業員の社会参加支援である。これは，従業員のボランティア活動を支援する制度を構築することを指す。具体的には，ボランティア情報の提供（NPOの活動紹介などを社内広報誌に掲載する等），ボランティア・グループの創設支援，ボランティア休暇・休職制度などがある。

企業の社会貢献活動は，経済的責任・法的責任・倫理的責任を果たすための活動と比較すると，企業の事業活動と直接的に関連しないものも含まれるため，最も活動の幅が広いものになる。そのため，社会貢献活動に関しては多様な方策が論じられてきた。まず，以下で歴史的展開を簡単に確認してみよう。

┃ 社会貢献活動の歴史 ┃

社会貢献自体は日本でもかなり以前から存在していた（今田 [1993]）。しかし，かつての社会貢献は，その担い手の中心が企業家や財閥一族であり，個人的なものなのか，企業が行っているのかについての区別は曖昧であった。また，寄付先の独立性を維持するために，企業の事業領域とかかわりの薄い分野を対象に寄付金を提供することが中心で，創業者や経営幹部の個人的な価値観に影響を受けたものであった。

こうした社会貢献活動が転機を迎えたのが高度経済成長期の1970年代である。この時代には，公害問題や，オイル・ショック後の買い占め・売り惜しみなど，企業の反社会的行動が多発したことから，企業の社会的責任が厳しく問われるようになり，反企業ムードにまで発展した。

その中で，社会貢献活動は，公害対策・消費者対策を目的とした利益還元活動として位置づけられた。企業が本来負担すべきコストを，公害問題として社会に負担させることで，より多くの利益を得ていたという批判に対して，「儲けすぎた」分を社会に還元することで対応していたのである。簡単にいえば，公害などの企業が社会に与えたマイナスを，社会貢献活動によって回復させるということである（小山 [1995]）。

このような利益還元としての社会貢献活動は，おもに批判に対する応答であったといえ，寄付先を選定する際に，企業自ら寄付先を探索することは稀で，団体や組織から寄付依頼を受け，その中から寄付先を決定することが多かった。さらに，寄付先・寄付金額の決定プロセスにおいても，同業他社が寄付をして

200 ● CHAPTER 11 　企業の社会貢献活動

いるか否かや，同業他社の寄付金額に影響を受けている面があったことからも，受動的な対応であったことがうかがえる。

戦略的社会貢献と CSV

戦略的社会貢献

　1980年代中ごろになると，企業の社会貢献に対するニーズが増大する一方で，景気の後退や企業の競争力強化への要求が生じ，企業は経済的目的と社会的目的を調和させることを意識し始めた。このような社会貢献活動を**戦略的社会貢献**（strategic philanthropy）と呼び，おもに2つの主張が存在する（Post, Lawrence and Weber［2002］）。第1に，プロセスへの戦略性の導入である。社会貢献を行う際に，方向性なく場当たり的に行うのではなく，目標，予算，指標を設定すべきというものである。つまり，社会貢献活動の実践プロセスに，戦略的アプローチを導入する。そのために，企業内において，社会貢献活動を実践する専門スタッフを配置することなどが行われる。第2に，社会貢献活動の戦略的活用である。これは，社会貢献と事業戦略を結びつけ，より企業の経済的目的の達成に直接的に貢献するような活動を行うようにすべきというものである。

　とくに第2の主張に対応して，社会貢献のさまざまな手法に注目が集まるようになった。以下では代表的な手法を2つ紹介する。

　まず，企業の利益に直接関連させることを目的とした，**コーズリレーテッド・マーケティング**（cause-related marketing, CRM）である。これは，「社会改善運動と関連づけられたマーケティング」のことで，製品の売上高の一定割合を社会貢献活動に寄付することにより，その製品自体の需要を喚起しようとするマーケティングの手法である。

　代表的な活動に，1983年にアメリカン・エキスプレスが実施した，クレジットカードが使用されるごとに1セント，カードを新規発行するごとに1ドルを，自由の女神像の修繕のために寄付するというプロジェクトがある。プロモ

Column ㉛　ボルヴィックのコーズリレーテッド・マーケティング

　近年のコーズリレーテッド・マーケティングの有名な事例として，2007 年から 2016 年まで実施されたボルヴィックの「1 ℓ for 10 ℓ（ワンリッター　フォー　テンリッター）」プログラムがある。

　このプログラムは，キリンビバレッジが輸入・販売を行うミネラルウォーター「Volvic」（ボルヴィック）が 2005 年から展開しているユニセフ支援活動の日本版であり，日本ユニセフ協会と協力し，キャンペーン期間中（2016 年は 5 月 1 日から 8 月 31 日），ボルヴィック製品を 1 ℓ 購入すると，アフリカのマリ共和国に住む人々に 10 ℓ の清潔で安全な水が供給されるという取り組みである。清潔で安全な水の供給を通じ，汚れた水に起因する病気の有病率を減らすことを目的としている。2005 年にドイツから始まり，これまでにフランス，日本，アメリカ，カナダ，イギリス，オーストリア，スイス，ルクセンブルクと，計 9 カ国で実施された。

　10 年間の支援の合計は約 3 億 200 万円に達し，277 基の井戸・給水設備が新設・修復され，約 50 億 ℓ の水の供給を可能にした。同時に，現地の人々が自ら井戸のメンテナンスが可能になるよう，修理部品・工具の供給，作業員のトレーニング，水と衛生に関する啓発活動も行われた（キリンビバレッジ・ウェブサイト）。

ーションの結果，キャンペーン期間中のカード利用は 28 ％増加，新規申し込みは 45 ％増加して，修繕費用のおおよそ 3 分の 1 に相当する 170 万ドルの寄付が集まった（Column ㉛の事例も参照）。

　第 2 に，マッチング・ギフトである。これは，企業が社会貢献を目的として寄付を募る際に，集まった金額に対して企業側が一定比率の額を上乗せして，寄付する仕組みを指す。比率は多くの場合 100 ％であり，結果として寄付金は倍額となる。従業員に対して寄付を募る際に実施されることが多く，その場合，従業員が自ら寄付をするか否かの決定を行い，その従業員の決定に従い，企業も同額の寄付を行うことになる。このようにして寄付に関する意思決定を従業員に任せることで，従業員のモチベーションを高めることを狙いとしている。これには，従業員がボランティア活動をすると，そのボランティア活動を行った時間に応じて寄付をするという形態も存在する。たとえば，日本郵船は

「YUSEN ボランティア・ポイント」という制度を設けている。この制度は，日本郵船のグループ社員が行った各種ボランティア活動や社会貢献活動の内容をポイント化した後に金額に換算し，ポイントを登録した社員へのアンケート・投票により寄付対象の活動団体を選定し，寄付するものである。

イオン提供

また，イオンが行っている「イオン 幸せの黄色いレシートキャンペーン」では，毎月 11 日を「イオン・デー」として，その日に消費者が購入した黄色いレシートを支援したい地域のボランティア団体の投函ボックスに入れると，購入金額の 1 ％相当がそれぞれの団体に希望する品物で寄贈される（写真）。これは，コーズリレーテッド・マーケティングとマッチング・ギフトを組み合わせた活動として理解することもできるだろう。

共通価値の創造（CSV）

上述のような戦略的社会貢献という活動が一般的になるにつれ，単なる寄付ではなく，社会問題を解決するプログラムとして，企業が社会貢献を実施することが期待されるようになってきた。その考え方をさらに発展させたものが，競争戦略論で有名なマイケル・ポーターとマーク・クラマーが提唱する**共通価値の創造**（creating shared value，CSV）である。共通価値の創造とは，「企業が事業を営む地域社会の経済条件や社会状況を改善しながら，自らの競争力を高める方針とその実行」である（ポーター゠クラマー [2011]）。企業は社会と共有できる価値の創造を目指すべきであるという主張であり，簡単にいえば，社会問題の解決（社会的価値）と，企業の競争力強化（経済的価値）を同時に実現することである。

ポーターとクラマーは，企業の成功には健全な社会の存在が不可欠であることを強調する（ポーター゠クラマー [2008]）。たとえば，優秀な労働力を企業が確保するためには，優れた教育や医療といったインフラや，教育の機会均等などの条件が必要となる。安全な労働環境は，事故に伴うコストを減少させる。土地や水といった天然資源の有効活用は，企業の生産性を高める。優れた行政

や法制度は，効率化とイノベーションに不可欠である。健全な社会はより多くのニーズを満たし，人々の向上心を生み出し，最終的には需要を拡大する。したがって，逆にいえば，社会を犠牲にして，自らの利益だけを追求する企業は一時的な成功しか達成できない。そして，こうした健全な社会を構築するためには，企業の成功が必要なのである。

　ポーターとクラマーは社会問題を3つに分類する（ポーター=クラマー[2008]）。第1に，一般的な社会問題である。これは，社会的には重要でも，企業活動から大きな影響を受けることはなく，企業の長期的な競争力に影響を及ぼすこともない社会問題を指す。第2に，バリュー・チェーンの社会的影響[28]である。これは，通常の企業活動によって少なからず影響を及ぼされる社会問題である。第3に，競争環境の社会的側面である。これは，外部環境要因（第6章）のうち，当該企業が事業を展開する各国において企業競争力が大きな影響を受ける社会問題である。そして，CSVを実現するためには，第2，第3の社会問題に取り組むべきと主張されている。また，取り組むべき社会問題は，自社事業と密接に関連し，将来性のある市場であることが望ましい。そのよ

glossary

28　バリュー・チェーン　マイケル・ポーターが『競争優位の戦略』（ポーター[1985]）において提唱した用語であり，価値連鎖とも呼ばれる。製品が顧客に届くまでの流れをつくる活動を主活動という。製品の流れを支える活動を支援活動という。それぞれのプロセスにおいて，製品に価値を与えることによって，最下流の利益（マージン）が生まれる。購買した原材料に対して，どのプロセスにおいて価値（バリュー）を付加できているのかを分析することが可能になる。

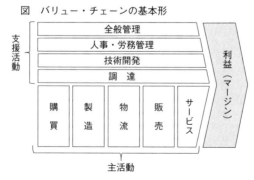

図　バリュー・チェーンの基本形

出所）ポーター[1985] 49頁。

な領域であれば，経済的メリットもあるため，長期的な取り組みが可能となるし，市場規模が大きくなれば，その分，社会問題の解決に貢献することも可能となる。

具体的にCSVに取り組むためのアプローチとしては，以下の3つが示されている（ポーター＝クラマー［2011］）。第1に，製品と市場の再認識である。製品・サービスと市場をCSVの視点から見直すことで，社会問題の改善・解決が可能となる製品やサービスを提供することを指す。社会的価値の視点から自社製品・サービスを見直し，解決できる社会問題を探索する，さらには社会問題を解決する新しい製品・サービスを生み出す。たとえば，BOP[29]市場には，市場規模は大きいが，多くの社会問題が存在しており，その社会問題を解決する製品やサービスを開発することは，企業と社会の両方に価値を生み出すことになる。

第2に，バリュー・チェーンの生産性の再定義である。企業のバリュー・チェーンをCSVの観点から見直すことで，企業のバリュー・チェーンのコストを増加させる社会問題を発見し，解決することを指す。企業の事業活動が社会に与える影響や，社会から受ける影響を考慮して，生産性に関連する社会問題

glossary

29 BOP　ベイス・オブ・ザ・ピラミッド（base of the pyramid），もしくは，ボトム・オブ・ザ・ピラミッド（bottom of the pyramid）の略である。世界の中で所得は低いが人口では多数を占める未開拓の市場を指す。世界人口の約72％に相当する約40億人が年間所得3000ドル未満の収入で生活しており（2007年当時），低い所得水準による貧困や不十分な生活基盤・社会的基盤などの社会問題の解決が求められている反面，総体としての市場規模の大きさに注目が集まっている。

図　BOP市場の概要

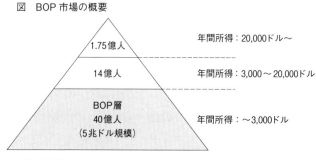

出所）筆者作成。

©M. Hallahan / Sumitomo Chemical

を解決する。たとえば，製品の過剰包装を見直すなど，資源を有効利用することで，企業は生産性を向上させていくことが可能になる。

第3に，事業展開地域への支援である。企業が競争力を確保するためには，事業展開地域における供給業者や流通チャネル，教育機関などとの協力が不可欠である。教育機関や輸送サービスの能力が高まれば，企業の生産性も向上する。たとえば，ネスレでは，コーヒー豆の農家に農法に関するアドバイスや銀行融資を保証するなどの取り組みを行い，品質の高いコーヒー豆を安定的に入手している。

次項では，CSV の第 1 のアプローチの好例として，住友化学のオリセットネット（蚊帳）の開発事例について見てみよう。

CSV の第 1 のアプローチの例——住友化学のオリセットネットの開発

マラリアは，蚊が媒介する原虫によって感染する疾患であり，世界保健機関 (WHO) によれば，被害の 90％以上がアフリカ地域に集中している。犠牲者の多くは 5 歳以下の子どもであり，2016 年には年間約 45 万人が死亡している。マラリアを媒介するハマダラ蚊は夜間に吸血するため，蚊帳の中で眠ることが感染予防の効果的な手段となる。単なる蚊帳でも一定の効果はあるが，隙間ができたり，長期間使用すると破れてしまうなどの欠点があったため，殺虫剤処理をした蚊帳が広まった。しかし，薬剤は蚊帳を洗濯すると洗い落とされてしまうため，洗濯のたびに蚊帳を薬剤に漬ける作業が必要になっていた。

そこで，住友化学は，1992 年，工場の虫除けの網戸に使われていた技術を応用し，殺虫剤を樹脂に練り込んだ繊維を編んで加工した蚊帳「オリセットネット」を開発した。この蚊帳が，2001 年に WHO からマラリア防圧に有効であると認められ，注目を集めることになった。

2003 年には，WHO からの依頼を受け，住友化学はオリセットネットの製造技術をタンザニアの蚊帳メーカー（A to Z Textile Mills）に無償移転し，現地での生産が開始された。現在では，タンザニアでの蚊帳の生産能力は年間 3000 万張りに達しており，約 7000 人の雇用機会をも創出している。2005 年に，オ

リセットネットは，アメリカ TIME 誌の "Coolest Inventions of 2004"（2004 年の最も素晴らしい発明）に選ばれた。また，同社はオリセットネットの販売から得た利益の還元として，教育支援活動への寄付や，オリセットネットの無償提供なども行っている。

CSV と社会貢献活動

CSV は，社会問題の解決が自社の事業の競争力強化につながることを主張しており，第 ① 節で説明した「営利を目的としない」という社会貢献活動の定義にはあてはまらない。また，第 ① 節で紹介したアッカーマンとバウアーの社会問題の分類では，社会問題の原因が企業にあるのか否かに注目していたが，ポーターとクラマーの社会問題の分類は，社会問題の存在が企業の経済活動に影響を与えるか否かに注目している。

両者が主張する対応すべき社会問題の選択方法は異なるが，社会問題を解決するという行動自体は共通しており，CSV は事業と関連した社会貢献活動として捉えることも可能である。いずれにせよ，CSV は比較的新しい概念なので，今後の展開が注目される。

 ## SDGs とグリーンウォッシュ

SDGs（持続可能な開発目標）

社会貢献活動に密接に関係しており，近年注目されている取り組みとして，SDGs があげられる。SDGs（Sustainable Development Goals）とは，2015 年 9 月の国連総会で採択された「持続可能な開発のための 2030 アジェンダ」において提示された 2016 年から 2030 年に向けて取り組むべき世界的な課題であり，図 11.1 に示す 17 の目標と，その目標を達成するための 169 の達成基準から構成されている。

たとえば，第 1 の目標である「貧困をなくそう」では，達成基準として，「2030 年までに，現在 1 日 1.25 ドル未満で生活する人々と定義されている極度

CHART 図 11.1 SDGs の 17 の目標

※本書の内容は国連, その職員, または加盟国の見解を反映したものではない。

出所) 国連ウェブサイト（https://www.un.org/sustainabledevelopment/）。

1.	貧困をなくそう	10.	人や国の不平等をなくそう
2.	飢餓をゼロに	11.	住み続けられるまちづくりを
3.	すべての人に健康と福祉を	12.	つくる責任つかう責任
4.	質の高い教育をみんなに	13.	気候変動に具体的な対策を
5.	ジェンダー平等を実現しよう	14.	海の豊かさを守ろう
6.	安全な水とトイレを世界中に	15.	陸の豊かさも守ろう
7.	エネルギーをみんなにそしてクリーンに	16.	平和と公正をすべての人に
8.	働きがいも経済成長も	17.	パートナーシップで目標を達成しよう
9.	産業と技術革新の基盤をつくろう		

の貧困をあらゆる場所で終わらせる」「2030年までに，各国定義によるあらゆる次元の貧困状態にある，すべての年齢の男性，女性，子どもの割合を半減させる」等があげられている。

また，企業の SDGs への取り組みについてのガイドラインとして，「SDG Compass」（SDGs の企業行動指針）が示されている。そこでは，SDGs が企業に与える影響や，企業の SDGs への取り組みがまとめられている。このように，SDGs として示されているようなグローバルな社会問題の解決において，企業の役割は非常に重要であるという考え方が一般的になりつつあり，企業は環境問題や貧困問題の解決に貢献することが期待されている。

日本においても，SDGs の達成に向けた取り組みを推進するために，内閣総理大臣を本部長とする SDGs 推進本部が設置されている。第 2 節で取り上げたオリセットネットを開発した住友化学は，第 1 回「ジャパン SDGs アワー

ド」において，オリセットネットの開発が，1，3，4，5，8，13 の目標に対応しているとして SDGs 推進副本部長賞を受賞した。

グリーンウォッシュ

企業が社会貢献活動をはじめとする社会に配慮した活動を行うことには，企業イメージ・ブランドイメージの向上，新規の顧客獲得，従業員のモチベーション向上，優秀な人材の獲得など，企業にとってさまざまなメリットが存在する。しかしながら，このようなメリットの裏には，リスクも存在している。

代表的なリスクとして，グリーンウォッシュ（greenwash, greenwashing）があげられる。グリーンウォッシュとは，企業が実際には環境に配慮していないにもかかわらず，上辺だけ環境に配慮したように見せかけることを指す。上辺だけを取り繕うという意味のホワイトウォッシュ（whitewash）を語源とする。

グリーンウォッシュは，環境保護主義者のジェイ・ウェスターヴェルドが 1986 年に発表したホテルに関するエッセイの中で，初めて使われたものであるといわれている（Cherry［2014］）。ホテルでは，環境を保護するために，宿泊客に滞在中のタオルの使用量を減らすよう促していたが，本当の目的はタオルを洗濯するための人件費を節約することでホテルの利益を増やすことであり，この行為がグリーンウォッシュであると主張した。

これ以降，欧米を中心に，企業の環境保護活動に対してグリーンウォッシュであるという批判がしばしばなされている。近年の例を 2 つ見てみよう。

2018 年，マクドナルドは環境保護を目的として，イギリスとアイルランドの 1361 店舗において，使用しているプラスチック製のストローを廃止し，紙製のストローに切り替えた。しかし，廃止したプラスチック製のストローはリサイクル可能であったが，新たに導入した紙製ストローは，材料としてはリサイクル可能であるが，ストローの厚みのため，実際にはリサイクルできず，一般廃棄物として処理されていることが判明した。このことが，グリーンウォッシュとして環境保護団体から批判された。

また，2021 年，アディダスが販売するスニーカーの「スタンスミス」が，フランスの広告規制当局（ARPP）からグリーンウォッシュであると指摘を受けた。スニーカーのキャッチコピーである「50 ％リサイクル」が，スニーカー

の 50 ％がリサイクル素材でつくられているという誤解を消費者に与えることが指摘されたのである（実際はスニーカーの甲の部分の 50 ％以上がリサイクル素材）。さらに，「廃棄プラスチックをなくそう（End Plastic Waste）」という表現も問題となった。再生プラスチックを一部に使用したスニーカーを購入することでプラスチック廃棄物をなくすことはできず，消費者に誤解を与えると指摘されたのである。

SDGs ウォッシュと ESG ウォッシュ

　近年，SDGs の認知が高まったことにより，SDGs に関連した取り組みを始める企業が増えてきているが，これに伴い，SDGs への取り組みが上辺だけであるとして，グリーンウォッシュと同様，SDGs ウォッシュであるとして社会から批判されるケースが増えてきている。とくに SDGs は 17 の目標から構成されており，目標が多岐にわたっている。そのため，特定の目標に貢献する活動を行っていることを根拠に「SDGs に対応している」とアピールすると，17 の目標すべてに対応しているように捉えられてしまう可能性がある。

　また，第 **3** 章で紹介した，ESG に配慮した経営を行っているとアピールしながらも実際には行っていない企業，ESG ファンドとうたいながら，実際には ESG に注目した銘柄選択や運用がされていないファンドは，ESG ウォッシュとして批判される。このような ESG ウォッシュを防止するために，金融庁は，2023 年 3 月に ESG ファンドの監督指針を策定し，適用を始めている。

　企業の社会貢献活動には，企業のイメージを高めるなどさまざまなメリットが存在する。とくに，第 ❷ 節で取り上げた戦略的社会貢献や CSV は，企業へのメリットを強調した取り組みである。このような状況下において，多くの企業が SDGs や ESG という社会からの要求に対応した活動を積極的に行っている。

　しかし，これらの要求に対する対応を，社会に向けて大げさに宣伝してしまうと，グリーンウォッシュ，SDGs ウォッシュ，ESG ウォッシュと批判される可能性がある。企業として一貫した方針に基づき対応することが重要である。

EXERCISE

① 所属する大学（組織）が関係する社会貢献活動を調べてみよう。
　①大学（組織）において，企業がスポンサーとなっている奨学金や寄付講座などを調べてみよう。
　②大学（組織）が行っている社会貢献活動を調べてみよう。
　③大学（組織）が新たに社会貢献活動を行うとしたらどのようなものが考えられるだろうか。
② 企業フィランソロピー大賞の受賞企業のリストや，各企業のCSR報告書などを参考にして，特定の企業がどのような社会貢献活動をしているのかを調査してみよう。その際，同業他社と比較して，どのような違いがあるのかについても注目してみよう。
③ 第3節で紹介した，ジェイ・ウェスターヴェルドのグリーンウォッシュに関する1986年のエッセイを調べてみよう。もし見つからなければ，Cherry[2014]を調べ，注5を確認してみよう。

読書案内　　　　　　　　　　　　　　　　　　　　　　　　　Bookguide●

東洋経済新報社編［2023］『CSR企業総覧（ESG編）2024年版』東洋経済新報社。
　1700社を対象に，CSRに関する5段階評価の格付けを行っている。価格が高めであるため，図書館にない場合には，社会貢献に限定した「東洋経済CSRデータeBook2023 社会貢献実践編」をおすすめする。

浅枝敏行［2015］『日本人ビジネスマン，アフリカで蚊帳を売る――なぜ，日本企業の防虫蚊帳がケニアでトップシェアをとれたのか？』東洋経済新報社。
　本章で紹介した住友化学の「オリセットネット」の普及プロセスが示されている。本文では簡略化して紹介したが，実際にはさまざまな試行錯誤があることが理解できる。

動画資料　　　　　　　　　　　　　　　　　　　　　　　　　Movieguide●

マイケル・マシスン・ミラー監督「ポバティー・インク　あなたの寄付の不都合な真実」（2014年，91分）

途上国への寄付や援助がその国の自立的発展を妨げている皮肉な現実を明らかにしている。「魚を与えるより，魚の釣り方を教えろ」（"Give a man a fish and you feed him for a day; show him how to catch fish and you feed him for a lifetime"）という格言に沿った内容であり，社会貢献のあり方に一石を投じた作品である。

補 論

データベースの活用

> データベースを使ってみよう！

　各章末の EXERCISE でも触れているが，多くの大学で新聞記事や雑誌記事・論文の検索ができるデータベースが複数導入されている。インターネットが普及し，手軽に情報を集めることができるようになったが，他方で，インターネット上には信頼性の低い情報も多数存在している。本章で取り上げるデータベースは，多くの大学が有料で契約しており，Google などの検索エンジンとは異なる信頼性の高いものであり，レポートや卒業論文の作成時だけでなく，アクティブ・ラーニング系の科目の課題作成時にも利用できる。さらに，就職活動の際の業界研究や企業研究にも役立つ。ここでは代表的なデータベースとその活用方法を紹介する。

> 大学によって導入しているデータベースの契約オプションは異なる。また，各データベースの名称や機能も適宜変更されている。そのため，利用する際には各大学の図書館，情報センター等，データベースを取り扱う部署に詳細を確認すること。なお，新聞記事データベースが導入されていない場合は新聞各社の新聞縮刷版を利用するとよい。

1 新聞記事を調べる

　データベースといえば，まずは新聞各社による新聞記事データベースが思い浮かぶだろう。代表的な新聞記事データベースには，日経テレコン，朝日新聞クロスサーチ，ヨミダス，毎索がある。これらは新聞社が無料で発信しているインターネット・ニュースとは異なり，過去の記事も検索・閲覧できる。基本的な検索に限ればとくに難しくなく，Yahoo! や Google が使えれば直感的に使うことができる。表補.1 は，それぞれのデータベースの特徴について簡単に紹介したものである。

　新聞記事データベースは，経営学を学習する上で有効に活用することができる。たとえば，第 7 章で取り上げた新日本製鉄と住友金属工業の M&A の事例をさらに詳しく調べる場合，「新日本製鉄　住友金属工業　合併」などといったキーワードを入れれば，関連する新聞記事の見出しが瞬時に現れる。古い順に記事を見ていけば，M&A に至る経緯がよくわかる。また，新しい記事に目を移せば，統合後の成果について書かれたものが見つかるかもしれない。

CHART | 表 補.1　新聞記事検索データベース

データベース名	概　要
日経テレコン	日本経済新聞社が発行する『日本経済新聞』『日経産業新聞』（2024 年 3 月末より休刊）『日経 MJ（日経流通新聞）』などの記事と企業情報の検索が可能。ビジネスに関連する各種ランキング記事やデータなども閲覧できる。経営学を学ぶ者にとって一番利用しやすいデータベース。
朝日新聞クロスサーチ	『朝日新聞』『AERA』『週刊朝日』『知恵蔵』などの記事や情報が検索できる。
ヨミダス	『読売新聞』，*The Japan News* などの記事検索ができるほか，人物検索もできる。
毎索	『毎日新聞』，*The Mainichi*，『週刊エコノミスト』などの記事検索ができる。

注）　収録期間は各データベースの利用説明を参照のこと。

214 ● 補 論　データベースの活用

ただし，新聞発表の時期とそのことが実施される時期にはタイムラグがあることが多いので，注意が必要である。M&Aでいえば，新聞発表は実際の統合よりも1年程度前になることが多い。その後，状況の変化で統合の時期がずれたり，場合によっては統合自体がなくなってしまうなどということも起こりうる。その意味でも，少し長い期間をとって記事を追うことが大事になる。

 雑誌記事・論文を調べる

　新聞記事には速報性がある。しかし，たとえば，ある企業の戦略や行動の意味や結果，全体像については，少し時間をかけて分析・検討してみる必要があるため，新聞記事を読むだけでは十分とはいえない。そこで，雑誌記事や論文の検索が必要となってくる。つまり，利用したい情報の性質によって，媒体を使い分ける必要があるといえるのである（図補.1）。
　経営学の学習で利用する雑誌には，大きく分けて，専門誌と学術雑誌の2種類がある。
　専門誌では『週刊東洋経済』『日経ビジネス』『週刊エコノミスト』『週刊ダイヤモンド』が利用する機会の多い雑誌である。こうした雑誌には，企業や経済に関する記事が掲載されていて，比較的読みやすい内容のものが多い。就職活動の際の業界分析や企業分析にも活用できる。
　学術雑誌は，学術論文が掲載されている雑誌で，一般的に書店などでは販売されていない。学術雑誌には学会誌，紀要などがある。経営学関係の学会誌でいえば，日本経営学会の『日本経営学会誌』，組織学会の『組織科学』などが

CHART 図補.1　時間の流れと情報発信

当日	翌日	数週間〜	数カ月〜
インターネット，テレビ，ラジオ	新聞	雑誌	書籍

有名である。紀要とは各大学や研究機関が発行している学術雑誌である。たとえば，一橋大学の『一橋商学論叢』，神戸大学の『国民経済雑誌』などがこれにあたる。学術雑誌では研究者の最先端の研究の一端に触れることができるが，一般に内容は専門誌に比べて難しい。しかしながら，卒業論文執筆時などには先行研究のサーベイのために利用するケースも出てくる。

　専門誌の記事検索にもデータベースが利用できる。代表的なデータベースに，日経 BP 記事検索サービス，東洋経済デジタルコンテンツ・ライブラリー，D-VISION NET，毎索がある。掲載誌が判明している，もしくはとりあえず代表的な専門誌の記事の中から情報を得たい場合には，これらのデータベースを利用するとよいだろう。

　専門誌，学術雑誌を問わず，あるテーマに関する記事や論文を探したい場合には，CiNii Research がおすすめである。探している記事や論文が，どういう雑誌のどの号のどのページに掲載されているかがわかるので，その後，リンクをたどって上記の各データベースから記事・論文を閲覧したり，図書館所蔵の雑誌に直接あたって記事・論文を閲覧することが可能である。記事・論文の中には PDF 形式ですぐにダウンロードできるものもある。

CHART 表補.2　専門誌記事・論文検索データベース

データベース名	概　要
日経 BP 記事検索サービス	日経 BP 社が発行する『日経ビジネス』『日経トップリーダー』など約 50 の専門誌の記事を検索・閲覧できる。経営学以外の領域も幅広く収録。
東洋経済デジタルコンテンツ・ライブラリー	『週刊東洋経済』『一橋ビジネスレビュー』『会社四季報』『就職四季報』など東洋経済新報社の経済・ビジネス・企業情報誌を検索・閲覧できる。
D-VISION NET	ダイヤモンド社の『週刊ダイヤモンド』『DIAMOND ハーバード・ビジネス・レビュー』などの専門誌の記事を検索・閲覧できる。
毎索	『毎日新聞』，*The Mainichi* 以外に，『週刊エコノミスト』の記事を検索・閲覧できる。
CiNii Research	NII（国立情報学研究所）が提供する日本最大規模の学術情報検索サービス。研究成果，論文，本などさまざまな情報を横断検索でき，本文を参照できるものもある。

216 ●　補 論　データベースの活用

表補.2 は，それぞれのデータベースについて簡単に紹介したものである。

3　企業情報を調べる

　特定の企業の詳細情報を知りたい場合には，企業情報を収録しているデータベースが利用できる。代表的なデータベースには，企業情報データベース eol，日経テレコン，東洋経済デジタルコンテンツ・ライブラリー，D-VISION NET がある。表補.3 は，それぞれのデータベースについて簡単に紹介したものである。

　ここで紹介したデータベースは，ほんの一部に過ぎない。各大学の図書館にはこれ以外にもさまざまなデータベースが導入されている。ぜひ，それぞれの大学図書館で導入されているデータベースを確認してみてもらいたい。また，多くの大学図書館で，データベース講習会が行われているので，こうしたものにも積極的に参加してみよう。

　知りたい情報の探し方がわからない場合には，大学図書館の職員に相談するのもおすすめである。図書館職員は，図書館資料の選択，発注，受け入れから，分類，目録作成，貸し出し業務，読書案内，データベース講習など，幅広い業

CHART 表補.3　企業情報検索データベース

データベース名	概　要
企業情報データベース eol	国内株式公開企業を中心とした企業情報を検索・閲覧できる。財務情報に加え，非財務情報までを扱っている。
日経テレコン	日本経済新聞社が取材・調査を通じて収集した企業データ，日経会社プロフィル（基礎情報，沿革，財務情報）などを検索できる。オプションの業界情報では『日経 NEEDS 業界解説レポート』や『日経業界地図』などを閲覧できる。
東洋経済デジタルコンテンツ・ライブラリー	『会社四季報』『就職四季報』『業界地図』『CSR 企業総覧』などの情報を検索・閲覧できる。
D-VISION NET	会社情報，事務所情報，組織図，人事情報などを検索できる。

3　企業情報を調べる　● 217

務に携っている。相談すれば，必要な資料やデータベースを紹介してくれるは
ずである。

引用・参考文献

「企業」を学ぶ

東洋経済新報社編［2023］『就職四季報　総合版 2025-2026』東洋経済新報社。

〈ウェブサイト〉

朝日学情ナビ 2025（https://www.gakujo.ne.jp/2025/contents/ranking2025/index.html，アクセス日：2024 年 3 月 31 日）

中小企業庁（https://www.chusho.meti.go.jp/koukai/chousa/chu_kigyocnt/index.html，アクセス日：2024 年 3 月 31 日）

Yahoo! ファイナンス（https://finance.yahoo.co.jp/stocks/ranking/cEmployees?market=all，アクセス日：2024 年 3 月 31 日）

個人企業と会社

岩井克人［2005］『会社はだれのものか』平凡社。
証券経済学会・日本証券経済研究所編［2017］『証券事典』きんざい。
三戸浩・池内秀己・勝部伸夫［2018］『企業論（第 4 版）』有斐閣。
Yunus, M.［2010］*Building Social Business: The New Kind of Capitalism that Serves Humanity's Most Pressing Needs*, Public Affairs.（岡田昌治監修・千葉敏生訳［2010］『ソーシャル・ビジネス革命——世界の課題を解決する新たな経済システム』早川書房。）

〈ウェブサイト〉

国税庁「令和 3 年度分　会社標本調査——調査結果報告　税務統計から見た法人企業の実態」（https://www.nta.go.jp/publication/statistics/kokuzeicho/kaishahyohon2021/pdf/R03.pdf，アクセス日：2024 年 2 月 5 日）

スノーピーク（https://www.snowpeak.co.jp/about/05history.html，アクセス日：2017 年 10 月 25 日）

ソーシャルビジネス研究会［2008］「ソーシャルビジネス研究会報告書」（http://www.meti.go.jp/policy/local_economy/sbcb/sbkenkyukai/sbkenkyukaihoukokusho.pdf，アクセス日：2017 年 10 月 18 日）

第一生命ホールディングス（http://www.dai-ichi-life-hd.com，アクセス日：2017 年 10 月 23 日）

中小企業庁編［2017］『2016 年版　小規模企業白書』（https://www.chusho.meti.go.jp/pamflet/hakusyo/H28/PDF/h28_pdf_mokujisyou.html，アクセス日：2024 年 5 月 7 日）

中小企業庁編［2023］『2023 年版　小規模企業白書』（https://www.chusho.meti.go.jp/pamflet/hakusyo/2023/PDF/shokibo/00sHakusho_zentai.pdf，アクセス日：2024 年 2 月 6 日）

三井広委員会（https://www.mitsuipr.com/history/meiji/mochikabu.html，アクセス日：2024 年 5 月 7 日）

三菱グループ（https://www.mitsubishi.com/j/history/，アクセス日：2017 年 10 月 20 日）

219

株式会社制度

岩田規久男［2007］『そもそも株式会社とは』筑摩書房．
エリオット，J.＝サイモン，W.（中山宥訳）［2011］『ジョブズ・ウェイ──世界を変えるリーダーシップ』ソフトバンククリエイティブ．
奥村宏［1987］『三菱──日本を動かす企業集団』社会思想社．
奥村宏［2000］『株式会社はどこへ行く──株主資本主義批判』岩波書店．
小林和子［1995］『株式会社の世紀──証券市場の120年』日本経済評論社．
宍戸善一［2015］『ベーシック会社法入門（第7版）』日本経済新聞出版社．
竹内一正［2012］『ジョブズの哲学──カリスマが最後に残した40の教え』大和書房．

〈ウェブサイト〉

ソニー（https://www.sony.co.jp/SonyInfo/IR/library/Governance_report.pdf，アクセス日：2017年12月28日）
日本取引所グループ「上場会社数の推移」（https://www.jpx.co.jp/listing/co/tvdivq0000004xgb-att/tvdivq0000017jt9.pdf，アクセス日：2024年2月8日）
三菱グループ（https://www.mitsubishi.com/j/history/principle.html，アクセス日：2017年12月30日）

コーポレート・ガバナンス

海道ノブチカ・風間信隆編［2009］『コーポレート・ガバナンスと経営学──グローバリゼーション下の変化と多様性』ミネルヴァ書房．
北川哲雄編［2015］『スチュワードシップとコーポレートガバナンス──2つのコードが変える日本の企業・経済・社会』東洋経済新報社．
コーポレート・プラクティス・パートナーズ編，中西敏和・関孝哉［2017］『コーポレート・ガバナンスの現状分析 2017年版』商事法務．
佐久間信夫編［2017］『コーポレート・ガバナンス改革の国際比較──多様化するステークホルダーへの対応』ミネルヴァ書房．
円谷昭一編［2017］『コーポレート・ガバナンス「本当にそうなのか？」──大量データからみる真実』同文舘出版．
出見世信之［1997］『企業統治問題の経営学的研究──説明責任関係からの考察』文眞堂．
出見世信之［2017］「企業不祥事の発生原因と防止策──コーポレート・ガバナンスの観点から」『明大商学論叢』第99巻第1号，1-13頁．
出見世信之［2017］「コーポレート・ガバナンス改革の促進要因と成果に関する試論的考察──ソニー，パナソニック，キヤノンの事例から」『日本経営倫理学会誌』第24号，125-135頁．
中村瑞穂編［2003］『企業倫理と企業統治──国際比較』文眞堂．
宮島英昭編［2011］『日本の企業統治──その再設計と競争力の回復に向けて』東洋経済新報社．

〈ウェブサイト〉

金融庁「『責任ある機関投資家』の諸原則《日本版スチュワードシップ・コード》～投資と対話を通じて企業の持続的成長を促すために～」（https://www.fsa.go.jp/news/r1/singi/

20200324/01.pdf，アクセス日：2024 年 2 月 11 日）
財務省「報道発表　年次別法人企業統計調査（令和 4 年度）結果の概要」（https://www.mof.go.jp/pri/reference/ssc/results/r4.pdf，アクセス日：2024 年 2 月 11 日）
日本取引所グループ（https://www.jpx.co.jp/equities/listing/cg/，アクセス日：2024 年 2 月 11 日）

企業と組織構造

金井壽宏［1999］『経営組織』日本経済新聞社。
手塚公登・小山明宏・上田康・米山茂美編［2010］『現代経営学再入門――経営学を学び直すための基礎～最新理論』同友館。
沼上幹［2004］『組織デザイン』日本経済新聞社。
バーナード，C. I.（山本安次郎訳）［1968］『経営者の役割（新訳版）』ダイヤモンド社（原著 1938 年）。
宮地克嘉・長網宏尚・京田成博［2014］「営農支援システム『クボタスマートアグリシステム（KSAS）』の開発」『農業食料工学会誌』第 76 巻第 4 号，284-288 頁。

〈ウェブサイト〉
京葉ガス（https://www.keiyogas.co.jp/，アクセス日：2024 年 4 月 1 日）
双日（https://www.sojitz.com/jp/，アクセス日：2024 年 4 月 1 日）
テイ・エス テック（https://www.tstech.co.jp/，アクセス日：2024 年 4 月 1 日）
みんなの農業広場（https://www.jeinou.com/ksas/，アクセス日：2018 年 1 月 13 日）

日本型企業組織

アベグレン，J. C.（山岡洋一訳）［2004］『日本の経営（新訳版）』日本経済新聞社。
石田英夫編［1984］『ケースブック　国際経営の人間問題（新版）』慶應通信。
伊丹敬之・藤本隆宏・岡崎哲二・伊藤秀史・沼上幹編［2006］『リーディングス　日本の企業システム　第Ⅱ期　第 4 巻――組織能力・知識・人材』有斐閣。
ヴォーゲル，E. F.（広中和歌子・木本彰子訳）［1979］『ジャパンアズナンバーワン――アメリカへの教訓』TBS ブリタニカ。
海老原嗣生［2018］「就活のリアル　新卒採用 欧米では希少　学業評価で厳しく選抜」『日本経済新聞』2018 年 4 月 10 日夕刊。
オオウチ，W. G.（徳山二郎監訳）［1981］『セオリー Z――日本に学び，日本を超える』CBS ソニー出版。
佐藤博樹・藤村博之・八代充史［2006］『マテリアル人事労務管理（新版）』有斐閣。
佐藤博樹・藤村博之・八代充史［2015］『新しい人事労務管理（第 5 版）』有斐閣。
花田光世［1987］「人事制度における競争原理の実態――昇進・昇格のシステムからみた日本企業の人事戦略」『組織科学』第 21 第 2 号，44-53 頁。

〈ウェブサイト〉
厚生労働省　　（https://www.mhlw.go.jp/stf/seisakunitsuite/bunya/0000137940.html，アクセス日：2024 年 3 月 31 日）
厚生労働省「令和 4 年度 雇用均等基本調査」（https://www.mhlw.go.jp/toukei/list/dl/71-r04/

02.pdf, アクセス日：2024 年 3 月 31 日）
キッコーマン（https://www.kikkoman.com/jp/works/fresh/, アクセス日：2024 年 3 月 31 日）
内閣府男女共同参画局『男女共同参画白書 令和 4 年版』（https://www.gender.go.jp/about_danjo/whitepaper/r04/zentai/html/zuhyo/zuhyo02-04.html, アクセス日：2024 年 3 月 31 日）
リクルートワークス研究所（https://www.works-i.com/research/works-report/item/180627_midcareer.pdf, アクセス日：2024 年 3 月 31 日）
労働省「昭和 44 年 労働経済の分析」（https://www.mhlw.go.jp/toukei_hakusho/hakusho/roudou/1969/dl/07.pdf#search=%27%E8%A6%8F%E6%A8%A1%E5%88%A5+%E9%9B%A2%E8%81%B7+%E8%B3%87%E6%96%99+%E6%98%AD%E5%92%8C%27, アクセス日：2024 年 5 月 7 日）

企業と経営戦略

青島矢一・加藤俊彦［2012］『競争戦略論（第 2 版）』東洋経済新報社。
淺羽茂・牛島辰男［2010］『経営戦略をつかむ』有斐閣。
網倉久永・新宅純二郎［2011］『経営戦略入門』日本経済新聞出版社。
大滝精一・金井一頼・山田英夫・岩田智［2006］『経営戦略——論理性・創造性・社会性の追求（新版）』有斐閣。
コトラー，P. = ケラー，K. L.（恩蔵直人監修・月谷真紀訳）［2014］『コトラー＆ケラーのマーケティング・マネジメント（第 12 版）』丸善出版。
チャンドラー，Jr., A. D.（有賀裕子訳）［2004］『組織は戦略に従う』ダイヤモンド社。
手塚公登・小山明宏・上田康・米山茂美編［2010］『現代経営学再入門——経営学を学び直すための基礎～最新理論』同友館。
ポーター，M. E.（土岐坤・中辻萬治・服部照夫訳）［1995］『新訂 競争の戦略』ダイヤモンド社。
レビット，T.（有賀裕子・DAIAMOND ハーバード・ビジネス・レビュー編集部訳）［2007］『T. レビット マーケティング論』ダイヤモンド社。
〈ウェブサイト〉
アサヒグループホールディングス（https://www.asahigroup-holdings.com/, アクセス日：2024 年 3 月 28 日）
オリオンビール（https://www.orionbeer.co.jp/, アクセス日：2024 年 3 月 28 日）
花王（https://www.kao.com/jp/, アクセス日：2024 年 3 月 28 日）
商船三井さんふらわあ（https://www.sunflower.co.jp/corporate/, アクセス日：2024 年 3 月 28 日）
大和ハウス工業（https://www.daiwahouse.co.jp/, アクセス日：2024 年 3 月 28 日）

M&A と戦略的提携

東洋経済新報社［2017］『会社四季報 2017 年 3 集夏号』東洋経済新報社。
日経産業新聞編［1997］『市場占有率 '98』日本経済新聞社。
バーニー，J. B.（岡田正大訳）［2003］『企業戦略論【下】全社戦略編——競争優位の構築と持続』ダイヤモンド社。
元橋一之編［2014］『アライアンスマネジメント——米国の実践論と日本企業への適用』白桃書房。

森信静治・川口義信・湊雄二編［2012］『攻めの M&A 戦略ガイド——成功する事業拡大・再編の新手法』日本経済新聞出版社．

〈ウェブサイト〉

サントリーホールディングス（https://www.suntory.co.jp/company/financial/results.html，アクセス日：2024 年 5 月 7 日）

第一三共ヘルスケア（https://www.daiichisankyo-hc.co.jp/newsroom/release/mytear240401.html：アクセス日 2024 年 4 月 3 日）

中小企業庁「2023 年版『中小企業白書』全文」（https://www.chusho.meti.go.jp/pamflet/hakusyo/2023/PDF/chusho.html，アクセス日：2024 年 3 月 28 日）

トヨタ自動車（https://www.toyota.co.jp/jpn/company/history/75years/text/leaping_forward_as_a_global_corporation/chapter1/section3/item2.html：アクセス日 2017 年 11 月 5 日）

山崎製パン（https://www.yamazakipan.co.jp/company/news/20131226.html，アクセス日：2017 年 8 月 26 日）

CHAPTER 8　企業の社会的責任

小山巌也［1997］「企業の社会的責任概念の展開」『商学論集（山梨学院大学）』第 22 号，185-206 頁．

出見世信之［1997］『企業統治問題の経営学的研究——説明責任関係からの考察』文眞堂．

中村美紀子［1999］『企業の社会的責任——法律学を中心として』中央経済社．

フリードマン，M.（村井章子訳）［2008］『資本主義と自由』日経 BP 社．

松下幸之助［1978］『実践経営哲学』PHP 研究所（松下幸之助［2001］『実践経営哲学』PHP 文庫）．

森本三男［1994］『企業社会責任の経営学的研究』白桃書房．

谷口勇仁［2006］「企業の社会的責任」櫻井克彦編『現代経営学——経営学研究の新潮流』税務経理協会，95-116 頁．

谷口勇仁［2010］「企業環境と社会的責任」手塚公登・小山明宏・上田泰・米山茂美編『現代経営学再入門——経営学を学び直すための基礎〜最新理論』同文館，35-52 頁．

Carroll, A. B.［1979］"A Three-Dimensional Conceptual Model of Corporate Performance," *Academy of Management Review*, Vol.4, No.4, pp.497-505.

Carroll, A. B., Brown, J. A., and Buchholtz, A. K.［2017］*Business & Society: Ethics, Sustainability, and Stakeholder Management*, 10th ed., South-Western.

Davis, K.［1960］"Can Business Afford to Ignore Social Responsibilities ?" *California Management Review*, Vol.2, No.3, pp. 70-76.

Lawrence, A. T., and Weber, J.［2016］*Business and Society: Stakeholders, Ethics, Public Policy*, 15th ed., McGraw-Hill.

〈ウェブサイト〉

企業市民協議会「『CSR 実態調査』結果」（https://www.keidanren.or.jp/CBCC/report/201707_CSR_survey.pdf，アクセス日：2024 年 4 月 1 日）

国税庁「令和 3 年度分　会社標本調査——調査結果報告　税務統計から見た法人企業の実態」（https://www.nta.go.jp/publication/statistics/kokuzeicho/kaishahyohon2021/pdf/R03.pdf，アクセス日：2024 年 4 月 1 日）

日本経済団体連合会「企業行動憲章」（https://www.keidanren.or.jp/policy/cgcb/charter2022.pdf，アクセス日：2024 年 4 月 1 日）．

企業環境とステークホルダー

クライン, N. (松島聖子訳) [2001]『ブランドなんかいらない――搾取で巨大化する大企業の非情』はまの出版.
末永國紀 [2017]『近江商人学入門――CSR の源流「三方よし」(改訂版)』サンライズ出版.
Carroll, A. B., Brown, J. A., and Buchholtz, A. K. [2017] *Business & Society : Ethics, Sustainability, and Stakeholder Management,* 10th ed., South-Western.
Clarkson Centre for Business Ethics [1999] *Principles of Stakeholder Management,* Clarkson Centre for Business Ethics, Joseph L. Rotman School of Management, University of Toronto.
Freeman, R. E. [1984] *Strategic Management : A Stakeholder Approach,* Pitman.
Greenhouse, S. [1997] "Nike Shoe Plant in Vietnam Is Called Unsafe for Workers," *The New York Times,* NOV.8.
Lawrence, A. T., and Weber, J. [2016] *Business and Society: Stakeholders, Ethics, Public Policy,* 15th ed., McGraw-Hill.
Mitchell, R. K., Agle, B. R., and Wood, D. J. [1997] "Toward a Theory of Stakeholder Identification and Salience : Defining the Principle of Who and What Really Counts,"*Academy of Management Review,* Vol.22, No. 4, pp.853-886.
Wartick, S. L., and Wood, D. J. [1997] *International Business and Society,* Blackwell.

〈ウェブサイト〉
伊藤忠商事 (https://www.itochu.co.jp/ja/about/history/oumi.html, アクセス日：2024 年 4 月 1 日)
エシカルコンシューマ (https://www.ethicalconsumer.org/, アクセス日：2024 年 4 月 1 日)
国際消費者機構 (https://www.consumersinternational.org/who-we-are/faqs/#frequently-asked-questions-what-are-the-consumer-rights, アクセス日：2024 年 4 月 1 日)
ジョンソン・エンド・ジョンソン (https://www.jnj.co.jp/jnj-group/our-credo, アクセス日：2024 年 4 月 1 日)
スターバックスコーヒージャパン (https://www.starbucks.co.jp/press_release/pr2010-424.php, アクセス日：2024 年 4 月 1 日)
フェアトレード・ラベル・ジャパン (https://www.fairtrade-jp.org/about_fairtrade/, アクセス日：2024 年 4 月 1 日)

企業倫理とコンプライアンス

印南一路 [1999]『すぐれた組織の意思決定――組織をいかす戦略と政策』中央公論新社.
キダー, R. M. (中島茂監訳・高瀬恵美訳) [2015]『意思決定のジレンマ』日本経済新聞出版社.
スチュアート, D. (企業倫理研究グループ訳) [2001]『企業倫理』白桃書房.
出見世信之 [2004]『企業倫理入門――企業と社会との関係を考える』同文舘出版.
出見世信之 [2010]「国連グローバル・コンパクトと企業経営」『明大商学論叢 (明治大学)』第 92 巻第 4 号, 417-430 頁.
中野千秋 [2004]「組織における個人の倫理的意思決定――組織倫理に関する実証研究の可能性を探る」『組織科学』第 37 巻第 4 号, 14-23 頁.
日本経営倫理学会編 [2008]『経営倫理用語辞典』白桃書房.

ベイザーマン，M. H. = テンプランセル，A. E.（池村千秋訳・谷本寛治解説）［2013］『倫理の死角――なぜ人と企業は判断を誤るのか』NTT 出版。

ベイザーマン，M. H. = テンプランセル，A. E.［2011］「『意図せぬ悪事』の科学――なぜビジネスの論理と倫理を切り離してしまうのか」『DIAMOND ハーバード・ビジネス・レビュー』第 36 巻第 7 号，60-72 頁。

みずほ総合研究所［2002］『エンロンワールドコムショック――事件の真相と経営改革の動向』東洋経済新報社。

Carroll, A. B., Brown, J. A., and Buchholtz, A. K.［2017］*Business & Society : Ethics, Sustainability, and Stakeholder Management,* 10th ed., South-Western.

Caruso, E., Epley, E., and Bazerman, M. H.［2006］"The Costs and Benefits of Undoing Egocentric Responsibility Assesments in Groups," *Journal of Personality and Social Psychology*, Vol.91, No.5, pp. 857-871.

Lawrence, A. T., and Weber, J.［2016］*Business and Society: Stakeholders, Ethics, Public Policy,* 15th ed., McGraw-Hill.

CHAPTER 11 企業の社会貢献活動

浅枝敏行［2015］『日本人ビジネスマン，アフリカで蚊帳を売る――なぜ，日本企業の防虫蚊帳がケニアでトップシェアをとれたのか？』東洋経済新報社。

今田忠［1993］「日本企業のフィランソロピー」島田晴雄編『開花するフィランソロピー――日本企業の真価を問う』TBS ブリタニカ，113-118 頁。

小山嚴也［1995］「コーポレート・フィランソロピー―― その現状と時間的・空間的展開」『一橋研究』第 19 巻第 4 号，1-27 頁。

日本経団連社会貢献推進委員会［2008］『CSR 時代の社会貢献活動――企業の現場から』日本経団連出版。

日本国際交流センター・世界基金支援日本委員会編集［2009］『地球規模感染症（パンデミック）と企業の社会的責任――三大感染症―エイズ・結核・マラリアに立ち向かう企業』日本国際交流センター。

ポーター，M. E.（土岐坤・中辻萬治・小野寺武夫訳）［1985］『競争優位の戦略――いかに高業績を持続させるか』ダイヤモンド社。

ポーター，M. E. = クラマー，M.［2008］「競争優位の CSR 戦略」『DIAMOND ハーバード・ビジネス・レビュー』1 月号，36-52 頁。(Porter, M., and Kramer, M.［2006］"Strategy and Society: The Link between Competitive Advantage and Corporate Social Responsibility," *Harvard Business Review*, Vol.84, No.12, pp. 78-92.)

ポーター，M. E. = クラマー，M.［2011］「共通価値の戦略」『DIAMOND ハーバード・ビジネス・レビュー』6 月号，8-31 頁。(Porter, M., and Kramer, M.［2011］"Creating Shared Value," *Harvard Business Review*, Vol..89, No.1/2, pp. 62-77.)

Ackerman, R. W., and Bauer, R. A.［1976］*Corporate Social Responsiveness*, Reston.

Cherry, M. A.［2014］"The Law and Economics of Corporate Social Responsibility and Greenwashing," *UC Davis Business Law Journal*, Vol.14, edition2, pp.281-303.

Porter, M., and Kramer, M.［1999］"Philanthropy's New Agenda: Creating Value," *Harvard Business Review*, Vol.77, No.6, pp. 121-131.

Porter, M., and Kramer, M.［2002］"The Competitive Advantage of Corporate Philanthropy," *Harvard Business Review*, Vol.80, No.12, pp. 56-68.（「競争優位のフィランソロピー」

引用・参考文献 ● 225

『DIAMOND ハーバード・ビジネス・レビュー』2003 年 3 月号, 24-43 頁）

Post, J. E., Lawrence, A. T., and Weber, J.［2002］*Business and Society: Corporate Strategy, Public Policy, Ethics,* 10th ed., McGraw-Hill.

〈ウェブサイト〉

1% for the Planet（https://www.onepercentfortheplanet.org/, アクセス日：2024 年 4 月 1 日）

SDG Compass（https://sdgcompass.org/wp-content/uploads/2016/04/SDG_Compass_Japanese.pdf, アクセス日：2024 年 4 月 1 日）

イオン（https://www.aeon.info/sustainability/social/yellow/, アクセス日：2024 年 4 月 1 日）

外務省（https://www.mofa.go.jp/mofaj/gaiko/oda/sdgs/index.html, アクセス日：2024 年 4 月 1 日）

キリンビバレッジ（https://www.kirinholdings.com/jp/newsroom/release/2016/1020_04.html, アクセス日：2024 年 4 月 1 日）

経団連 1 ％クラブ（https://www.keidanren.or.jp/1p-club/, アクセス日：2024 年 4 月 1 日）

コマツ（https://komatsu.disclosure.site/ja/themes/110?utm_content=ja_ sustainability _social-contribution, アクセス日：2024 年 4 月 1 日）

住友化学（https://www.sumitomo-chem.co.jp/sustainability/social_contributions/olysetnet/, アクセス日：2024 年 4 月 1 日）

世界保健機関（WHO）（https://www.who.int/en/news-room/fact-sheets/detail/malaria, アクセス日：2024 年 4 月 1 日）

日本フィランソロピー協会（https://www.philanthropy.or.jp, アクセス日：2024 年 4 月 1 日）

日本郵船（https://www.nyk.com/news/2023/20230303_01.html, アクセス日：2024 年 4 月 1 日）

ニューズウィーク日本版（https://www.newsweekjapan.jp/stories/world/2019/08/post-12701.php, アクセス日：2024 年 4 月 1 日）

富士フイルム（https://photo-rescue.fujifilm.com/ja/, アクセス日：2024 年 4 月 1 日）

仏広告倫理審査会（JDP）（https://www.jdp-pub.org/avis/adidas-affichage-plainte-fondee/, アクセス日：2024 年 4 月 1 日）

丸井グループ（https://www.0101maruigroup.co.jp/d-bond/, アクセス日：2024 年 4 月 1 日）

ヤマト運輸（https://www.yamato-hd.co.jp/100th-anniversary/commemorative/64-68.html, アクセス日：2024 年 4 月 1 日）

事 項 索 引

● アルファベット

AI（人工知能）　166
BOP 市場　205
CalPERS　→カリフォルニア州公務員退職年金
　基金
CEO（最高経営責任者）　43, 56, 65
CFO（最高財務責任者）　42
COO（最高執行責任者）　42
CRM　→コーズリレーテッド・マーケティン
　グ
CSR　→企業の社会的責任
CSV　→共通価値の創造
ESG　210
　——ウォッシュ　210
　——投資　58, 63, 176
EU（欧州連合）　36
M 字カーブ　114
M&A　31, 132, 139, 141–143
　——の形態　133
　——の狙い　135
　コングロマリット型——　135, 136
　市場拡張型——　135, 136
　垂直的——　135
　水平的——　135, 136
　製品拡張型——　135, 136
MBO（経営者による買収）　31, 61
NPO 法人　22, 23
NTT　167
NYSE　→ニューヨーク証券取引所
OEM　138
Off-JT　103
OJT　103
POS システム　7–9
PPM　→プロダクト・ポートフォリオ・マネ
　ジメント
　——分析　129
SDGs（持続可能な開発目標）　58, 207, 210
　——ウォッシュ　210
SDGs Compass（SDGs の企業行動指針）
　208
SEC（証券取引委員会）　56
SOX 法　→サーベンス゠オクスリー法
TCED（気候関連財務情報開示タスクフォー

ス）　67
TOB（株式公開買い付け）　30, 38, 134, 135
　敵対的——　135

● あ 行

アドバイザリー・ボード　69
アメリカ　58, 60, 105, 152
　——の会社法　36
　——のコーポレート・ガバナンス　56
暗黙知　141
委員会設置会社　60
委員会等設置会社　59, 62
イギリス　60
　——の会社法　36
　——のコーポレート・ガバナンス（改革）
　64, 65
一面記事テスト　182
一般職　104, 105
インカム・ゲイン　169
インサイダー取引　187
インターンシップ　101
イントラネット　2–4
営業利益　196
エシカル・コンシューマー　176
エントリーシート　113
欧州会社法　36
欧州連合　→EU
近江商人　177

● か 行

会計監査人　62
外資系企業　97
会社機関　40, 54
　——制度　36, 40, 42
会社企業　21–23
会社形態　25, 32
会社法　23, 25, 37, 44, 57, 60, 68
　——改正　71, 72
　——改正（2015 年）　61
改正公益通報者保護法　187
カイゼン　98
階層性　83
外部環境　116
　——要因　204

外部経済　155
外部資源　135, 140, 141
外部性　155
外部不経済　154, 155
確定給付型企業年金　64
額面株式制度　37
合　併　133
合本主義　29
金のなる木　123, 124
ガバナンス　54
株　価　39
株　券　→株式証券
株　式　37, 45
　——取得　134
　——制度　36
　——持ち合い　49
株式会社　23, 25, 26, 28, 30–32, 36
株式会社制度　20, 29, 32, 36, 51
　——の特徴　36
株式公開買い付け　→ TOB
株式証券（株券）　37, 38, 54
株　主　5, 168
株主総会　5, 29, 31, 38, 40, 41, 44, 54, 59
　——中心主義　30
カリフォルニア州公務員退職年金基金
　（CalPERS）　57, 59
監査委員会　56, 59
監査役　44
監査役会　44
監督と執行の分離　44
かんばん　142
機関投資家　60, 62–65, 169
企　業　18
　——環境　164
　——の社会的責任（CSR）　150
　——の分類　19
　——は社会の公器　152, 154
企業形態　36, 54
　——論　26
企業系列　98
企業結合　47
企業行動憲章　150
企業支配権　169
企業市民　157
企業集団　98
企業城下町　163, 174
企業戦略（全社戦略）　116, 117
企業ドメイン　118
企業内組合　98, 99

企業年金連合会　60
企業不祥事　5, 59, 69, 71, 180, 181, 187
企業不祥事の防止　186
企業ボランティア　159
企業メセナ　→文化支援活動
企業倫理　181, 190
　——教育　188
　——（コンプライアンス）推進組織　188
　——制度（コンプライアンス制度）　182,
　　　186, 188
議決権　38, 40, 60, 63, 169
気候関連財務情報開示タスクフォース
　　　→ TCED
技術革新　165
技術的環境　165
技能職　105
機能別戦略　116, 117
規範主義　182–184
寄　付　160
　——活動　158
　——金　149, 199, 202
規模の経済　86, 125, 136, 140
基本給　109
キャピタル・ゲイン　169
吸収合併　133
教育研修　103–105
競争環境の社会的側面　204
競争戦略　→事業戦略
競争優位性　125
共通価値の創造（CSV）　202, 204, 207, 210
共同開発　139, 143
協同組合　20
　——企業　19
業務執行　41
業務執行担当役員　41, 42, 59
金銭的寄付　199
金銭的支援　198
グリーンウォッシュ　209
グロース市場　45
経営学　116
経営資源　121, 199
経営者支配　40
経営者による買収　→ MBO
経営戦略　116
　——論　116
経営組織論　80
経営の透明性　28
経済三団体　151
経済的環境　165

経済的責任　158, 159
経済同友会（同友会）　151
形式知　141
経常利益　196
継続事業体　38
経団連　→日本経済団体連合会
経団連1％クラブ　196
啓発された自己利益　158
系列ワンセット主義　49
結果（帰結）主義　182, 183
権力・責任均衡の法則　155
公益通報者保護法　187
公　害　155, 156, 200
公企業　19, 20
合資会社　25, 32
公私混合企業（公私合同企業）　19, 20
厚生年金基金連合会　60
公的規制　71
合同会社　23, 28, 30-32
高度経済成長（期）　49, 200
合　弁　142
合名会社　25-29, 32
国際消費者機構　170, 178
国立銀行条例　29
個人企業　22-24, 26, 27, 30
個人事業主　23-25
個人投資家　168
コスト削減　140
コスト・リーダーシップ戦略　125
コース別人事制度　104
コーズリレーテッド・マーケティング（CRM）
　　201, 202
コーポレート・ガバナンス　51, 54, 62, 69, 74
　　──改革　42, 43, 64, 68, 70, 71
　　──開示制度　61
　　──元年　72
　　──原則　59
　　──・コード　45, 48, 58, 64, 67, 68, 71, 72
　　──に関する最善慣行コード　65
　　──の定義　55
『コーポレート・ガバナンス白書』　61
顧　問　66, 73
コンプライアンス　103, 180, 181
　　──制度　→企業倫理制度
コンプライ・オア・エクスプレイン　63, 64

● さ　行

債権者　19
最高経営責任者　→ CEO

最高財務責任者　→ CFO
最高執行責任者　→ COO
財団法人　23
最低資本金　25
最低資本金制度　26
財　閥　25, 30, 47-49
　　──解体　49
採用直結型インターンシップ　100
サステナビリティ　63
差別化戦略　125, 128
サーベンス＝オクスリー法（SOX法）　56,
　　60, 186
三公社　20
三種の神器　98-100
三方よし　177
ジェネリック医薬品　127
私企業　19-21
事業戦略（競争戦略）　116, 117, 125
事業買収　132, 135
事業部　88
　　──制組織　87, 94, 120, 121
事業持株会社　134
自己資本　19
自己中心主義のバイアス　186
白主規制　71
自主プログラム　199
慈善原則　156, 157, 159
自然人　21
持続可能な開発目標　→ SDGs
執行担当役員　42
執行役員制度　69, 70
シナジー効果　122, 140
支配証券　38
資　本　19
資本金　19
資本提携　139
事務系総合職　102
指名委員会等設置会社　61
社外監査役　48, 68-70
社会貢献活動　197, 198
社会貢献的責任　158, 159, 197
社会心理学　184, 185
社会的環境　165
社会的責任肯定論　152, 154, 156, 160
社会的責任のピラミッド・モデル　159
社会的責任否定論　152, 154-156, 160
社外取締役　42, 43, 48, 56, 57, 59, 61, 69, 71
社会問題　154-156, 197, 202, 204, 205
　　一般的な──　204

事項索引　● 229

社　債　46
ジャスト・イン・タイム　98, 142
社団法人　23
社　長　41, 47, 56, 73, 87
社長会　47, 48
『ジャパンアズナンバーワン』　99
シャーマン反トラスト法　47
従業員　2, 171
習熟効果　82
就職活動　100
終身雇用　98-100
集中戦略　125, 126
受託原則　156, 157, 159, 181
受託責任（受託者責任）　41, 66
出　向　112
出資者　19, 26, 27, 37
純粋持株会社　134
準則主義　30
純利益　196
ジョイント・ベンチャー　139
証券取引委員会　→SEC
商工組合中央金庫　20
上場会社（上場企業）　45, 54
上場会社コーポレート・ガバナンス原則　60
昇　進　105
消費者　6, 10, 169, 177
　　──の8つの権利　170, 178
消費者基本法　170
消費生活協同組合　19
商　法　25, 37
　　──改正　57
　　──改正（1993年）　59, 68
　　──改正（2001年）　59
　　──改正（2002年）　43, 59, 69
　　旧──　29
情報開示　169
職能給　109, 110
職能資格制度　106, 108, 110
職能制（機能別）組織　84, 121
　　──のデメリット　87
　　──のメリット　85
職能要件　106
職務概念　101-103
職務記述書　102
職務遂行能力　105, 106
所有と経営の分離　28, 38, 40, 41
人工知能　→AI
人事異動　6, 102, 104, 105
人事考課　106

新設合併　133
新卒一括採用　101
人的資源　121
水平的な調整の失敗　83
スウェットショップ　→労働搾取工場
スタッフ部門　84, 85, 88
スタンダード市場　45, 67, 68
スチュワードシップ　63
　　──・コード　58, 62-65, 72
ステークホルダー　51, 55, 60, 64, 65, 74, 118,
　　167, 174, 181, 188, 190
　　──・アプローチ　165, 167, 168, 174
　　──・エンゲージメント　175
　　──・マネジメント　174
　　狭義の──　167, 168
　　広義の──　167
生　協　20
政策保有株式（政策株）　48
政治的環境　165
製造委託（受託）　138
生態学的環境　166
製品ライフサイクル　120, 122, 123
『セオリーZ』　99
セグメント　126, 127
説明責任　41, 66
セプテンバー・アプローチ　165
全社員有限責任制度　36, 38
専門化の利益　85, 87
専門商社　90
専門職　105
戦略的社会貢献　201, 210
戦略的提携　137-143
総会屋　59
早期退職優遇制度　112
総合商社　89, 90
総合職　103-105
贈収賄　192
相談窓口　189
相談役　66, 73
属人給　109, 110
組　織　18, 80
　　──の3要素　81
　　──は戦略に従う　121
ソーシャル・ビジネス　20, 21

●た　行

大企業　110
第三セクター　20
代表取締役　43

多角化　84, 87, 119–121, 136
　　——戦略　121
多国籍企業　165, 172
　　——のダブル・スタンダード問題　191,
　　192
他人資本　19
男女雇用機会均等法　104
地域社会　172
チャレンジャー　127, 128
中央集権的（一元的）管理　86
中小企業　84, 87, 110
中途採用　101, 110
調整　82, 93
賃金体系　108
定言的命令　183
定年　100, 110
　　——制　98
転勤　104
転籍　112
テンダー・オファー　135
投機　38
東京証券取引所　26, 45, 60, 66, 67, 71, 73
投資信託（ファンド）　169
同質化　127
　　——戦略　128
独占　47
独占禁止法　47, 48
独立社外取締役　66, 70, 71
ドッド＝フランク法　56
飛び込み営業　4
トヨタ生産方式　98, 142
取締役会　29, 31, 41, 54, 59, 60, 72, 73
　　——改革　43, 72

● な　行

内集団びいき　185
内部告発　187
内部資源　116
内部統制　60, 186
内部統制報告書　186
ナレッジ・マネジメント　141
日常的偏見　185
日米構造協議　48, 57, 58
ニッチャー　127
日本型人事システム　100
日本経営者団体連盟（日経連）　106
日本経済団体連合会（経団連）　100, 150, 151
日本再興戦略　61, 72
日本商工会議所（日商）　151

日本的経営　98
日本取引所グループ　46, 64
『日本の経営』　98
日本フィランソロピー協会　195, 197
入社式　103
ニューヨーク証券取引所（NYSE）　43, 56,
　　68
年功制　98, 99

● は　行

配当　38
配慮主義　182–184
花形　124
バブル崩壊　57, 99
ハラスメント　189
　　セクシュアル・——　160, 172
バリュー・チェーン　204
　　——の社会的影響　204
　　——の生産性の再定義　205
範囲の経済　121, 136
販売提携　139
非営利法人　22, 23
東日本大震災　198
標準化　82
　　——の失敗　83
フィランソロピー　160, 197
フェアトレード　176
フォロワー　127
不正会計　5, 187
不正競争防止法　192
物的支援　198
物的証券　38
不買運動　172
プライベート・ブランド商品　138
プライム市場　45, 66–68, 71
ブラック企業　171
プリンシプルベース・アプローチ　63
プロジェクト・チーム　91, 92
プロダクト・ポートフォリオ・マネジメント
　　（PPM）　123
プロフィット・センター　88, 90
文化支援活動（企業メセナ）　158
分業　81, 84, 93
　　——のデメリット　82
粉飾決算　44, 61, 158, 187
法人　21
　　——の設立　24
法人税　24
法的責任　158, 159, 181

事項索引　● 231

法令遵守活動　158
保険会社　25, 26
ボランティア活動　200, 202

●ま　行

マイナーズ報告書　65
マクロ環境　164, 165
負け犬　124
マザーズ　45
マッチング・ギフト　202
マトリクス組織　83, 91-94
マニュアル　82, 83
マネジメント　54
　トップ・──　54, 87, 90
　ミドル・──　54
　ロワー・──　54
ミクロ環境　164, 165
民営化　20
無限責任　27
メインバンク　57
もし母親だったらテスト　184
持株会社　20, 30, 47, 51, 134
　──による経営統合　134
物言う株主　64
問題児　124

●や　行

役　職　108
有価証券報告書　57

有限会社　25
有限会社法　25
有限責任　25, 27-29, 38, 39
優先株　38
陽和不動産事件　49
予算必達　4, 5, 91

●ら　行

ライン部門　84, 85
利潤証券　38
離職率　110
リスク軽減　140
リスク分散　120
リーダー　127
リーマン・ショック　56, 165
稟議書　4, 5
倫理的意思決定　182
倫理的行動　181, 182, 184
倫理的責任　158, 159, 181
倫理的判断　182
倫理的問題　192
　──の認知　182
レイオフ　105, 112
労働組合　171
労働搾取工場（スウェットショップ）　171,
　172, 192
六大企業集団　48, 51
ロンドン証券取引所　65

企業・製品名等索引

● アルファベット

A. P. SMITH　160
GM　→ゼネラルモーターズ
IBM　39
iPhone　139, 191
iPod　120
JCB　46
JTB　46
NEC　112
NeXT　39
NTT　69
SAB ミラー　137
SUBARU　127
TSMC　173
WiLL　144
ZOZOTOWN　18

● あ 行

アクエリアス　127
アサヒ飲料　118, 127, 134
アサヒグループ食品　118, 134
アサヒグループホールディングス　118, 134, 137
アサヒビール　118, 126–128, 134, 144
味の素　134
アップル　39, 139, 191
アディダス　209
アマゾン　18, 191
アメリカン・エキスプレス　201
アンハイザー・ブッシュ・インベブ　137
イオン　136, 202
石川島造船所　29
石川島播磨重工業　132, 135
いすみ鉄道　20
壱番屋　135
出光興産　143
伊藤園　91
伊藤忠商事　73, 90, 177
イトマン　57
インターノース　187
ウェスティングハウス　62
ウォークマン　120
ウォルマート　31

ウォルマート・ジャパン・ホールディングス　31
エーザイ　64
エンロン　56, 181, 186, 187
王子製紙　29
大塚製薬　127
オリセットネット　206
オリンパス　61, 70

● か 行

花　王　121, 122, 144
カゴメ　73
カルビー　8, 94
カルピス　118
キャドバリー・シュウェップス　65
キヤノン　62, 68, 70, 71, 73
ギャバン　134
キリンビバレッジ　202
キリンビール　127, 128
キリンホールディングス　137
近畿日本ツーリスト　144
金曜会　47
グーグル　191
クボタ　92
グラミン銀行　20
京葉ガス　85
光　洋　136
コカ・コーラ　117, 127
コマツ　197

● さ 行

サッポロビール　29, 126, 128
沢井製薬　127
サントリー　128
サントリーホールディングス　46, 137
三陸鉄道　20
三和銀行　48
シアーズ・ローバック　121
シャルレ　61
十六茶　127
商船三井さんふらわあ　119
昭和シェル石油　143
ジョンソン・エンド・ジョンソン　177
新日本製鉄　132, 134, 136

スノーピーク　32
スーパードライ　127, 128, 137
住友化学　206, 208
住友銀行　48, 49, 57, 142
住友金属工業　132, 134, 136
住友重機械　49
住友商事　49, 90
住友信託銀行　50
セイコーグループ　30
西武百貨店　30
西　友　30
ゼネラルモーターズ（GM）　121, 139, 142
セブン＆アイ　138
セブンプレミアム　138
千寿製薬　139
爽健美茶　127
双　日　89, 90
ソニー　43, 68, 70, 71, 73

●た　行

第一勧業銀行　48
第一国立銀行　29
第一三共ヘルスケア　139
第一生命　26
ダイエー　51
大王製紙　70
大正製薬ホールディングス　31
ダイハツ工業　138
大　丸　177
ダイムラー・クライスラー　51
大和銀行　50, 143
大和ハウス工業　118, 120
高島屋　177
タリーズコーヒージャパン　91
秩父小野田　143
中外製薬　135, 136, 188
ツイッター　191
テイ・エス テック　85, 86
帝国ホテル　29
帝　人　69
デュポン　121
デ　ル　126
東京ガス　29
東京三菱銀行　51
東　芝　5, 61, 62, 69
東芝メディカル　62
東洋工業　174
トヨタ　142, 177
トヨタ自動車　9, 10, 69, 70, 127, 136-139, 144

トヨタ自動車工業　136
トヨタ自動車販売　136
豊田通商　90

●な　行

ナイキ　172, 192
二木会　47
日産コンツェルン　47
日産自動車　51, 135
日本カストディ銀行　51
日本銀行　20
日本国有鉄道（国鉄）　20
日本製鉄　160
日本生命　50, 177
日本セメント　143
日本専売公社　20
日本たばこ産業（JT）　73
日本鉄道　29
日本トラスティ・サービス信託銀行　50, 51
日本マスタートラスト信託銀行　50
ニュージャージー・スタンダード石油　121
ニュー・ユナイテッド・モーター・マニュファ
　クチャリング（NUMMI）　139, 142

●は　行

ハウス食品グループ　134
白水会　47
パナソニック　30, 43, 64, 68, 70, 71, 73, 144, 152
東インド会社　36
美的集団　62
ヒューストン・ナチュラル・ガス　187
フェイスブック　191
富士銀行　48
富士ゼロックス　69
富士フイルム　199
フタバ産業　192
プロテクティブ　26
ベネッセホールディングス　31
ペプシコーラ　39
ポカリスエット　127
鴻海精密工業　139

●ま　行

マイクロソフト　191
マクドナルド　83, 209
松下電器産業　144, 152
マツダ　137, 139, 174
丸井グループ　197

234 ●

丸　紅　　90
丸屋商社　　29
三井銀行　　48, 49
三井合名会社　　25, 47
三井造船　　49
三井物産　　49, 90
三菱銀行　　48, 49
三菱合資会社　　25
三菱財閥　　29, 49
三菱自動車工業　　51, 61
三菱重工　　49–51
三菱商事　　49–51, 90
三菱電機　　49, 50
無印良品　　30
モスフードサービス　　125

● や　行

安田財閥　　49

八幡製鐵　　160
ヤフー　　191
山崎製パン　　139, 140
ヤマトグループ　　198
雪印乳業　　69, 75
雪印メグミルク　　74, 75
横須賀製鉄所　　29

● ら　行

ライオン　　135, 136
ランチパック　　139
ルイ・ヴィトン　　125
ルノー　　51
ローソン　　18

● わ　行

ワールドコム　　56, 181, 186, 187

企業・製品名等索引　● 235

人名索引

●あ 行

アッシュ，ソロモン　185
アベグレン，ジェームズ　98, 99
網倉久永　116
安藤国威　43
出井伸之　43
岩崎小彌太　49
岩崎彌太郎　29
ウェスターヴェルド，ジェイ　209
ヴォーゲル，エズラ　99
オオウチ，ウィリアム　99
小栗上野介　29

●か 行

キャドバリー，エイドリアン　65
クラマー，マーク　202, 204, 207
ケインズ，ジョン・メイナード　40
ケネディ，ジョン・F.　170
ケラー，ケビン　126
コトラー，フィリップ　126

●さ 行

澁澤栄一　29
ジョブズ，スティーブ　39
新宅純二郎　116
スカリー，ジョン　39

●た 行

チャップリン，チャールズ　82

チャンドラー，アルフレッド　121
トランプ，ドナルド　191

●な 行

ナイト，フィル　172
野中郁次郎　141

●は 行

バウアー，レイモンド　207
バーナード，チェスター　80, 81
早矢仕有的　29
福澤諭吉　29
フリードマン，ミルトン　153
ポーター，マイケル　125, 202, 204, 207
ポランニー，マイケル　141

●ま 行

松下幸之助　30, 152
ミルグラム，スタンリー　185

●や 行

ユヌス，ムハマド　20, 21

●ら 行

ロエスレル，ヘルマン　29

【有斐閣ストゥディア】

問いからはじめる現代企業〔新版〕

Introduction to the Modern Corporation: Beginning with Basic Questions,
New ed.

2018 年 12 月 20 日 初版第 1 刷発行
2024 年 8 月 10 日 新版第 1 刷発行

著　者　小山嚴也・出見世信之・谷口勇仁

発行者　江草貞治

発行所　株式会社有斐閣

〒101-0051 東京都千代田区神田神保町 2-17

https://www.yuhikaku.co.jp/

装　丁　キタダデザイン

印　刷　萩原印刷株式会社

製　本　大口製本印刷株式会社

装丁印刷　株式会社亨有堂印刷所

落丁・乱丁本はお取替えいたします。定価はカバーに表示してあります。
©2024, Yoshinari Koyama, Nobuyuki Demise, Eugene Taniguchi.
Printed in Japan. ISBN 978-4-641-15127-7

本書のコピー，スキャン，デジタル化等の無断複製は著作権法上での例外を除き禁じられています。本書を代行業者等の第三者に依頼してスキャンやデジタル化することは，たとえ個人や家庭内の利用でも著作権法違反です。

JCOPY　本書の無断複写(コピー)は，著作権法上での例外を除き，禁じられています。複写される場合は，そのつど事前に，(一社)出版者著作権管理機構(電話 03-5244-5088，FAX 03-5244-5089，e-mail:info@jcopy.or.jp)の許諾を得てください。